KB184888

햇살 좋은 날, 하루를 널어 말리고 싶다

햇살 좋은 날,
하루를 널어 말리고 싶다

지은이	김경집, 김건주
펴낸이	김혜정
사진	조병준
디자인	홍시 송민기
마케팅	윤여근, 정은희
출간일	1쇄 인쇄 2021년 8월 12일
	1쇄 발행 2021년 8월 25일
펴낸곳	도서출판 CUP
출판신고	제 2017-000056호(2001.06.21.)
주소	(04549) 서울특별시 중구 을지로 148, 8층 803호 (을지로3가, 중앙데코플라자)
전화	02) 745-7231
팩스	02) 6455-3114
이메일	cupmanse@gmail.com
블로그	www.cupbooks.com
페이스북	facebook.com/cupbooks
인스타그램	instagram.com/cupmanse/

ISBN 979-11-90564-24-3 03810   Printed in Korea
* 파손된 책은 구입하신 서점에서 교환해 드리며 책값은 뒤표지에 있습니다.

햇살 좋은 날,
하루를 넣어 말리고 싶다

인문영성에세이

인문학자 김경집 + 지식유목민 김건주

어느 하루도 시시한 날은 없다
내가 되는 나의 시간,
익숙한 오늘에서 낯선 행복을 만나다

목차

햇살 좋은 날,
하루를 널어 말리고 싶은

마음에 드는 옷도 여러 날 입으면 자연스럽게 때 묻고 먼지도 탑니다. 안타깝고 속상할 때도 있습니다. 그럴 때 옷을 빨아 탁탁 털어 볕에 말리면 뽀송뽀송 맑게 회복해 마음까지 깨끗해지는 느낌이 들 때가 있습니다. 기분도 상쾌하고 후련합니다. 내 시간과 삶도 가끔은 그렇게 햇살 좋은 날 꺼내 말릴 수 있으면 얼마나 좋을까요!

산다는 게 보기 나름이고 생각하기에 따라 다르게 느껴집니다. 좋은 날도 있고 궂은 날도 있지요. 매일이 엇비슷하게 반복되는 듯하지만, 어느 하루 같은 날 없고 무의미한 날도 없습니다. 물론 어떤 날은 조금 더 기쁘고 활기차고, 또 다른 어떤 날은 우울하고 맥이 빠지기도 합니다. 일도 크게 다르지 않은 듯합니다. 그런 날들과 일들이 모이고 쌓여 나의 삶이 되고 역사가 꾸려집니다. 어떤 날과 일은 매순간 아드레날린 뿜뿜 날리고, 같은 일 같은 사람인데 어떤 때는 을밋을밋 지지부진합니다.

　사람이 살면서 어찌 아무 셈평도 없이 지낼 수 있겠습니까. 그래도 가끔은 셈속 따지지 않고 보듬고 다듬으며 살아갑니다. 사람이 혼자 살아갈 수는 없습니다. 하지만 누구나 살면서 부대끼며 상처를 주고받으며 살기에 거기에서 벗어나고 싶어질 때도 있고 잠시라도 벗어나야 할 때도 있습니다. 하지만 그마저도 그저 되풀이되는 매일이라는 생각이 발목을 잡거나 꼬드겨 그 벗어남을 무시하거나 혹은 두려워하기까지 합니다. 어쩌면 그렇게 사는 삶을 배운 적도 없었는지 모릅니다.

　누구에게나 똑같이 주어진 시간의 하루이지만, 그 시간의 밀도를 정하는 것은 각자의 몫입니다. 권력, 돈, 명예가 그 밀도를 좌우하는 건 아닙니다. 늘 미리미리 준비하고 매순간 최선을 다해 사는 것도 아닙니다. 그래도 때로는 이미 지난 시간을 되돌아보며 짚어보고 성찰하는 것으로도 성긴 하루의 밀도를 조절할 수는 있습니다. 늘 그리고 매순간이 농밀할 수는 없습니다. 그렇게 살 수도 없거니와 설령 그렇게 되는 일이 있다 한들 그건 숨 막히는 일이고 한 톨의 매력도 없는, 바보 같은 삶일 뿐입니다. 다만 성길 때는 느슨하고 잔잔하게 물살에 맡기고, 밭게 살 땐 스스로를 바짝 조여 꼼꼼하게 살 수 있는 자기 리듬을 마련하기만 해도 충분합니다. 삶의 시작과 끝은 누구에게나 똑같습니다.

누군가는 조금 더 많이 누리고 누군가는 좀 덜 누릴 뿐입니다. 그러나 많고 적음이 삶의 의미를 결정하지 않습니다. 결정하게 만들어서도 안 됩니다. 그 모든 것들이 결국은 내 의지와 선택에 달려있기도 하겠지만, 생각에 달려 있기도 합니다.

나이 들면서 깨달은 핵심은 두 가지입니다. 하나는, 내려놓고 비우기가 막상 힘든 일이라고 우왕좌왕할 게 아니라 가장 중요한 것, 끝까지 버티고 고수해야 하는 것이 무엇인지 깨닫는 것입니다. 여러 해 전 히말라야에 갔을 때 5,100m의 하이캠프에서 산소가 부족해서 숨이 가빠 채 5분도 잘 수 없었을 때, 그리고 5,500m 고갯길까지 한 걸음 옮길 때마다 천근만근 무겁고 숨이 찼을 때, 한 가지만 생각났습니다. 산소만 있다면, 모든 것을 기꺼이 포기할 수 있을 듯했습니다. 물론 내려온 뒤, 그리고 귀국한 뒤 까맣게 잊고 삽니다. 그러나 조금 힘들고 어렵거나 지칠 때마다 저는 스스로에게 말합니다. "아무렴 어때. 지금 산소는 충분하잖아." 그러면 제법 견딜 만합니다. 어떤 기준과 근거 하나를 확실히 마련하는 것만으로도 잘 이겨낼 힘이 되는 걸 깨닫습니다. 또 하나의 핵심은, 하루를 마감할 때 스스로를 칭찬하고 격려하는 일입니다. 하루를 돌아보면 아무 일 없이 산 것도 간단한 일은 아닙니다. 조금 게으른 하루나 절망감을 느끼는 하루도 허다합니다. 그런 날에 적당히 너그러워야 합니다. 자책하고 후회한다고 이미 된 일이 없어지지 않습니다. 그래도 쉼표와 숨표도 마련하며 살아야 버텨내는 게 인생이니 너무 실망하지 말고 매듭이 엉키지만 않게 잘 정리하라고 스스로에게 충고합니다.

어찌 그 두 가지로 삶의 문제와 의미들이 해결될 수 있을까요?
그래도 그 두 가지 기준과 매듭이 있어서 조금씩이나마 진화하
는 삶을 조붓하게 걸어가고 있다고 생각합니다.

부족하고 미련한 제가 다른 이에게 멋진 말로 위로하거나 좋
은 내용으로 충고할 깜냥도 아니거니와 모범적이지도 않은 사
람이어서 두렵지만, 그래도 생각과 느낌을 함께 나누며 교감하
고 말을 걸 수 있는 것만으로도 서로에게 힘이 될 수 있다는 걸
제 삶에서도 겪었기에 부끄러움 무릅쓰고 생각과 느낌을 담아
나누고 싶었습니다.

이 책을 구상한 것은 여러 해 전입니다. 열린 생각과 마음의
눈을 가지고 특히 청년들의 삶에 깊은 관심을 가진 김건주 목사
님과 함께 일상에서 사유하고 성찰할 수 있는 주제로 서로의 생
각을 주고받자고 기약했습니다. 수많은 기획에 참여하셨고 미
래학에 관한 책도 펴낸 매우 특별한 분이신데, 상하이에 계실 때
저를 몇 차례 초청해 그곳에서 특강도 하면서 늘 같은 고민을
나눴습니다. 그러나 서로 사는 게 바쁘고 일에 치여서 마음은 있
지만 막상 일을 시작하지도 못했지요. 그분께서 다시 한국에 들
어오신 뒤에도 늘 마음은 있지만 막상 글로 담아내는 일은 선뜻
옮겨지지 못했습니다. 이제는 어느 정도 익었다 싶을 때 주제를
골랐고, 마치 편지처럼 서로 주고받는 글을 모았습니다. 늘 새로
운 도전과 실행으로 저를 깨워주셨기에 가능한 일이었습니다.

만나서 이야기를 나눌 때도 늘 이 시대를 살아가는 사람들의

삶과 고민에 대해 섬세한 사유, 풍부한 감성, 다양한 감각으로 감응하는 방식을 논의했습니다. 이 글들이 누군가에게 작은 용기와 격려가 되고 때론 잔잔한 위로가 될 수 있다면, 그래서 어제와 같은 듯하지만 새로운 오늘 하루를 살아갈 힘이 될 수 있다면 더 이상 바랄 것이 없습니다. 누구에게나 삶은 때론 애틋하고 뿌듯하고, 때론 힘겹고 고통스럽습니다. 그 모든 것이 우리 삶의 부분들입니다. 삶의 작은 조각들을 잘 꿰맞추며 살아갈 지도를 만들고 싶었습니다. '따로 또 같이' 살아가는 삶입니다. 이 글들 또한 따로, 그리고 함께 사유하고 쓰고 묶은 모음입니다. 그분은 커피에 대해 무한한 애정과 관심을 가졌을 뿐 아니라 탁월한 미각을 지녔습니다. 두 사람의 글이 섞여 있어 어떻게 구별할까 고민하다 그분의 글에는 꼭지 끝에 커피와 차를 달기로 했습니다. 우리는 이 책이 그윽한 맛과 향을 품은 한 잔의 커피와 차가 되기를 꿈꿨습니다. 두 사람의 글로 엮은 까닭에 혹시 누구 글인지 궁금하신 분도 계실 듯하여 각 글의 끝에 김경집의 글에는 '햇살 한 컵', 김건주의 글에는 '바람 한 모금'이라는 명찰을 달아 구별하여 짧은 아포리즘을 붙였습니다.

그분의 글에는 당신의 마음만큼이나 따뜻한 사유와 격려가 기도처럼 담겼습니다. 사실 그것은 그분의 기도입니다. 저는 그 기도에 미치지 못하고 섬돌에 어지럽게 신발을 늘어놓기만 했습니다. 그러나 마음은 그 기도와 함께 합니다. 신에 대한 절절한 바람의 기도가 아니라 오늘 하루를 살아가는 모든 이들의 시간을 위한 기도입니다. 틈틈새새 늘푸른나무처럼 싱싱하고 건강하게 멋진 나날을 누리기를 기원합니다. 우리에겐 아직 그리고 여전히 '산소'가 남아 있습니다. 마음에는 숨표, 삶에는 쉼표 하나 찍으며 농밀한 하루를 살아갔으면 좋겠습니다.

햇살 좋은 날, 하루를 널어 말리고 싶은 그런 날에

인문학자 김경집

CHAPTER 01

화사한 햇살 아래

· 오늘의 나여서 고맙습니다

그래도 나는 내가 참 좋습니다

●

　　아침에 일어나 거울을 봅니다. 부스스한 몰골이 마치 내 살아가는 모습과 비슷한 듯하여 안쓰럽기도 합니다. 차가운 물에 세수하며 몸을 깨우고 새로운 하루를 준비합니다. 아침 단장을 하는 건 그저 남에게 아름답게 보이기 위해서가 아니라 나를 새로운 모습으로 준비하고 싶기 때문입니다. 어제의 나는 이미 과거의 시간으로 사라졌습니다. 그런데 꾸역꾸역 반복되는 일상에 살다보니 그제가 어제 같고 오늘이 어제 같습니다. 그저 그런 날의 연속입니다. 그래서 과거와 현재가 뒤섞이고 현재와 미래 또한 명확하게 구별되지 않습니다.

　　오늘의 문을 열고 일상으로 나아가도 어제와 크게 다르지 않습니다. 늘 그렇듯 평범한 하루입니다. 그런데 어느 날인가, 아침에 허둥지둥 버스정류장으로 뛰어가다 시멘트를 뚫고 노란

민들레가 노란 꽃을 내민 것을 보았습니다. 꽃이 하늘에서 갑자기 떨어져 거기에 있을 수는 없으니 오랫동안 거기에 있었을 텐데 한 번도 눈길 준 적 없으니 알아채지 못했습니다. 꽃이 피기까지 수많은 시간이 걸렸을 겁니다. 온실에서 곱게 자란 화초도 아니고 정원사의 세심한 손길을 받은 장미나 튤립도 아닙니다. 꽃이 피기 전에는 그저 그런 풀포기쯤으로만 여겼을 뿐 조금의 눈길도 주지 않았습니다. 그 전날에도 그 '풀'은 그 자리에 있었습니다. 그러나 하필 그 바쁜 아침 출근길에 노란 꽃이 눈에 띄었습니다. 그것도 시멘트 바닥을 뚫고 말입니다.

문득 나의 어제도 그러지 않았을까 생각해봅니다. 그제와 같은 어제고 여러 날 중의 뻔하디 뻔한 하루라 여겼는데 어쩌면 발뒤꿈치가 조금이라도 오른 하루였을지 모릅니다. 콩나물시루가 생각납니다. 대개의 식물들은 세 가지의 요소가 필요합니다. 빛, 물, 그리고 땅의 양분입니다. 그런데 시루의 콩나물은 검은 천으로 가려져 아예 빛을 받을 수 없고 디디고 뻗을 흙은 아예 없이 그저 뻥 뚫린 밑바닥이니 허공에 떠있는 것과 다르지 않습니다. 그저 아침저녁 한 바가지 부어주는 물이 전부입니다. 그나마도 잠시라도 고여 있지 못하고 바닥의 구멍으로 다 빠져나갑니다. 콩나물의 입장에서는 참 야속하기도 할 것 같습니다. 그런데 며칠 뒤 천을 걷어내면 놀랍게도 콩나물 대가리들이 시루의 머리까지 올라와 있습니다. 열악한 조건에서 잠깐 스쳐 지니는 물 잠깐 만나면서도 콩나물들은 묵묵히 조금씩 성장했던 겁니다.

지루하게 반복되는 일상이 그것과 크게 다르지 않다고 생각하니 조금은 위안이 됩니다. 오늘은 어제와는 다른 날이 분명합니다. 어김없이 어제와 같은 방향에서 떠오른 태양도 사실은 같은 자리가 아니라 조금씩 자리를 옮기며 떠오르는 것을 매일매일 느끼지는 못합니다. 그러나 한 달이 지나면 그 자리가 옮겨졌다는 걸 실감합니다. 그렇게 한 달 후 30분쯤 일찍 혹은 늦게 해가 떠오르는 것을 알게 됩니다.

지구의 공전과 자전이라는 지구과학의 메커니즘을 굳이 따지지 않더라도 조금만 주의를 기울이면 그것을 느낄 수 있습니다. 춘하추동 해돋이와 해넘이의 시간이 달라집니다. 그런데 그걸 닷새 열흘 사이에 느끼기는 어렵습니다. 그러니 어제와 같은 오늘처럼 느껴집니다.

식물에서 그걸 배울 때가 많습니다. 지상의 우리 눈에는 보이지 않지만 땅속에서 씨앗이 껍질을 뚫고 생명을 키워내는 시간도 간단하거나 쉽지 않을 겁니다. 어떤 씨앗은 너무나도 단단해서 그 껍질을 깨고 나오는 것 자체가 지난하기도 합니다. 사막의 어떤 식물은 수십 년 동안 꿈쩍도 하지 않고 버티는 씨앗을 뱉어내기도 합니다. 죽은 씨앗처럼 보일 수 있습니다. 그러나 어느 하루 사막에 소나기라도 쏟아지면 그 씨앗은 마침내 제 생명을 피워냅니다.

남미 칠레 북서부의 아타카마 사막은 지구상에서 가장 건조한 곳 가운데 하나입니다. 연평균 강수량이 0~2.1mm에 불과하니

미생물조차 살아가기 힘든 곳입니다. 단 한 방울의 비도 내리지 않는 곳도 허다하다 합니다. '죽은 땅'이지요. 그런데 거기에도 생명이 있습니다. 마치 외계 행성 같은 삭막하기 그지없는 그 사막에 거센 소나기가 퍼붓는 때가 있답니다. 그런데 그 이후 놀라운 일이 벌어집니다. 순식간에 일대가 꽃밭으로 변한다지요. 그 장관을 보기 위해 사람들이 그 곳을 찾습니다. 도대체 무슨 일이 벌어졌던 것일까요? 그 '죽은 땅'에 무엇이 있었기에 한 차례의 거센 비에 땅 밖으로 싹을 틔우고 꽃을 피웠을까요? 땅속에 묻혀 휴면 상태에 있던 씨앗과 구근이 집중 호우를 기다렸다가 일제히 잠에서 깨어났던 것입니다. 사막에서 비를 기대하는 건 무모하고 감당하기 힘들어 보입니다. 비 오는 날이 정해진 것도 아닙니다. 어떤 해는 아예 한 방울의 비도 내리지 않습니다. 죽은 듯이 버틸 뿐입니다. 그 씨앗들과 구근들은 얼마나 지루하고 짜증날까요. 마치 미라처럼 땅속에서 1mm도 뻗지 못한 채 정지한 상태입니다.

그 사막에서 살아있는 식물을 볼 수 없습니다. 아무도 땅속에 웅크리고 있는 씨앗을 보지 못하기 때문입니다. 아타카마 사막에 묻힌 씨앗은 짧게는 3년, 길게는 10년에 한 번 꽃을 피운다고 합니다. 물 한 방울 없는 곳에서 그렇게 치열하게 버티고 있던 씨앗은 갑자기 쏟아진 비에 모든 힘을 다해 땅 밖으로 몸을 내밀고 순식간에 일대를 거대한 꽃밭으로 만듭니다. 그 장관을 보기 위해 사람들이 모이는 건 그 꽃의 아름다움 때문이 아니라 그 강인한 생명의 신비를 보기 위해서일 겁니다. 보잘것없는 씨앗 하나가 어찌 3년을, 심지어 10년을 그리도 '무턱대고' 기다리고 버틸 수 있을까요? 그것은 언젠가 반드시 비가 내리면 자신을 피워낼 수 있을 거라는 강인한 희망을 품고 있기 때문이겠지요.

　우리도 살면서 오랫동안 아무런 성과도 이루지 못하고 살아갑니다. 남들이 보면 한심해 보이겠지요. 때론 자기 자신도 스스로를 믿지 못하기도 합니다. 남들은 앞으로 달려가는데 나만 제자리에 머물러 있으니 패배감과 자괴감을 씻어내지 못합니다. 그러나 그 시간이 내면을 강화하는 시간이 되고 미래를 준비하는 시간이면 얘기는 달라집니다. 아타카마 사막의 씨앗과 구근처럼 땅속에서 버텨낼 수 있다면 말입니다.

　높은 곳까지 계단을 오를 때 목적지는 보이지 않고 똑같은 계단만 반복해서 걷는 느낌이 듭니다. 그러나 그렇게 하나하나 오르는 거지요. 노력을 안 하는 것도 아닌데 결과는 없고 하는 일마다 성과는커녕 무의미해 보이기까지 하면 절망하고 좌절합니다. 스스로를 원망합니다. 삶은 반복적이고 비창조적이며 지겹습니다. 불안과 절망이 힘들어 체념으로 타협하기도 합니다. 누구나 그럴 겁니다. 정도의 차이일 뿐입니다.

　그러나 아타카마 사막의 모래 밖으로 나온 그 씨앗과 구근은 여러 해 동안 얼마나 답답했을까요? 속으로는 야무지게 버티고 있었지만 그래도 일단 싹이라도 틔우고 싶은 본능을 꾹 누른 채 말입니다. 얼핏 모든 성장을 멈춘 듯 보입니다. 그러나 속으로는 몇 밀리미터씩 자라나겠다는 힘을 비축하고 버텼을 겁니다. 마치 우리의 하루하루처럼 말입니다. 시멘트를 뚫고 나온 민들레도 그걸 뚫고 나올 때 얼마나 지난했을까요? 어쩌면 밖으로 나가보지도 못하고 땅속에서 삶을 마감할지도 모른다는 공포를 느꼈을지도 모르겠습니다. 그러나 어느 한순간 그걸 비집고 나오더니 마침내 노란 꽃을 피웠습니다. 장미를 부러워할까요? 세상 어느 화려한 꽃도 부럽지 않을 겁니다. 자신은 민들레고, 제 꽃을 피웠으니 그것으로 이미 충분한 것을 알기 때문입니다.

나의 하루들도 그런 날들입니다. 먼저 달려나간 사람, 더 높은 곳 오른 사람, 더 두툼한 지갑 챙긴 사람, 엄청난 명예 누리는 사람도 있지만 그것이 나의 삶도 아니고 그들과 비교해서 내 삶의 가치를 매길 것도 아닙니다. 한 걸음씩 나아가는 하루입니다. 그런 하루를 살아가는 내가 기특하고 갸륵합니다. 그러니 나는 나를 격려합니다. 나도 곧 시멘트를 뚫고 지상으로 나갈 날을 누리게 될 겁니다. 그런 내가 참 좋습니다. 나는 장미가 부럽지 않습니다.

 햇살 한 컵

나를 사랑할 수 없으면 어느 누구도 사랑할 수 없다.
나를 사랑하는 것이 너를 사랑하는 위대한 일의 원점이다.

오늘도 나는 나를 지어갑니다

인간은 완성된 존재로 태어나지 않습니다. 어떤 존재보다 연약한 존재로 태어납니다. 생존을 위한 기초적이고 필수적인 정보와 지식을 습득하지 않고서는 생존 자체가 어려운 존재가 인간입니다.

인간은 인간답게 사는 게 무엇인지 배워나가는 존재입니다. 철학적인 이야기가 아닙니다. 가장 기본적인 삶의 이야기입니다. 완성된 존재로 태어나지 않은 우리는 자기 자신을 완성해 가야 합니다. 완성을 향해 잘 지어가지 않으면, 부족하고 연약한 부분 때문에 어려움을 겪고 문제를 일으킬 수 있습니다.

우리는 정해진 레일 위로 달려가는 기차처럼 특정한 유형의 삶을 살도록 정해진 존재가 아닙니다. 많은 차선을 가진 폭넓은 도로 위를 달리는 자동차처럼 나를 어떻게 지을 것인지는 나에게 달려 있습니다. 도로교통법을 무시하고 주변의 차량을 위협하며 제멋대로 도로를 달리면 자기의 안전뿐 아니라 전체의 안전에 문제를 일으킵니다. 이처럼 나를 잘못 지으면 내 삶을 그르칠 뿐만 아니라, 내가 속한 사회에도 나쁜 영향을 미칩니다.

우리는 연약한 존재로 태어나 완성을 향해 지어져 가는 존재이지만, 자기 삶의 방식을 선택할 수 있는 존재입니다. 우리가 몸담은 공동체가 유지되는 법칙과 구성원의 기대치에 부응하는 행동이 무엇인지 학습하고 선택할 수 있는 존재입니다.

이렇게 완성된 존재로 지어져 가는 우리는 모방 능력이라는 소중한 능력을 갖추고 태어납니다. 우리가 가진 모방 능력의 중요성은 오래전부터 강조되었습니다. 플라톤(Platon, BC 427~BC 347)과 아리스토텔레스(Aristoteles, BC 384~BC 322) 같은 고대 철학자들은 학습 과정에서 인간이 어떻게 모방을 통해 공동체 안에서 사회적 법칙에 따르는 행동 유형을 학습해 나가는지 언급했습니다. 우리는 다른 사람들이 어떻게 행동하는지 눈으로 봅니다. 그리고 그것을 기억하고 모방합니다.

인간의 모방 능력에 대해서 학자들은 과학적 이론을 내놓습니다. 신경과학자들은 인간의 뇌 안에서 모방 기능을 가능하게 하는 신경 물질을 발견했습니다. 이 물질을 '거울 뉴런(Mirror neuron)'이라 부릅니다. 거울 뉴런은 다른 사람의 행동을 거울처럼 반영한다고 해서 붙여진 이름입니다. 특정 움직임을 행할 때나 다른 개체의 특정 움직임을 관찰할 때 활동하는 신경세포가

거울 뉴런입니다.

옆 사람이 하품하면 따라 하게 되는 것이나, 드라마를 볼 때 주인공이 울거나 슬퍼하면 함께 슬퍼하는 공감 능력, 부부가 서로 닮아가게 되는 모든 현상이 이러한 거울 뉴런이 반응하는 현상입니다. 그런데 거울 뉴런은 아무 행동에 대해서 무조건 반응하는 것이 아니라, 어느 정도 따라 할 수 있는 행동에 대해서만 반응합니다. 예를 들어 원숭이의 거울 뉴런은 사람의 행동에는 반응하지만, 사람이 도구를 사용해서 하는 행동에는 반응하지 않습니다.

거울 뉴런 덕분에 인간은 사회적 존재로 삽니다. 홀로 외로이 사는 존재가 아니라 사회적 관계를 맺고 삽니다. 사회적 존재로 사는 인간은 자기가 속한 사회 내에서 다른 구성원과 의사소통하면서 생활합니다. 타인의 의도를 파악하고 공감하며 소통합니다. 별 어려움 없이 이루어지는 일상이기에 타인의 의도를 파악하고 공감하고 소통하는 것이 당연하게 여겨질 수 있습니다.

그런데 멈추어 생각해보면 그저 자연스럽게 이루어질 수 없는 것임을 깨닫습니다. 우리는 매일 크고 작은 의사소통의 문제를 경험하며 삽니다. 소통이 제대로 이루어지려면 소통이 이루어질 수 있는 공통의 기반이 있어야 합니다. 공통의 기반이 없으면 소통은 이루어지지 않습니다. 주고받는 표면의 언어보다 더 중요한 것이 공통의 기반입니다. 같은 문화, 같은 언어, 같은 경험을 공유할 때 소통이 제대로 이루어집니다.

인간이 태어나 이런 모든 것을 직접 경험해야 한다면 어떨까요? 세대와 세대를 넘어 축적되어 온 문화와 경험, 시대와 시대를 넘어 변화되어 온 언어와 환경을 직접 경험해야 한다면 어떨까요? 엄청난 시간과 비용이 소모될 것입니다. 그렇게 시간과 비용을 소모한다고 해도 모든 것을 경험할 수는 없습니다.

축적의(쭉 쌓여온) 시간에 비해 개인의 인생은 너무 짧습니다. 추위에 대한 대응과 반응만 생각해 보아도 아찔합니다. 북극곰은 북극에서 극한 추위를 견뎌야 하므로 털로 자신의 몸을 감싸야만 합니다. 오랜 시간을 통해 현재의 모습을 가지게 됐을 겁니다. 우리가 북극곰처럼 할 수 있을까요? 불가능할 겁니다. 그런데 에스키모 아이는 어떤가요? 곰을 잡아 털옷을 만드는 부모를 보고 단 10분 만에 이를 학습합니다. 부모가 털옷을 만들어 입는 그 순간 그 아이의 거울 뉴런들은 부모와 마찬가지로 따뜻함을 느낍니다.

연약한 존재로 태어나 완성을 향해 지어져 가는 우리는 신이 아닌 인간이기에 죽는 순간까지 완성된 존재가 될 수 없습니다. 그래서 자기를 계속 지어가야 하는 우리에게 긴장은 필수입니다. 불완전한 모습이지만 자기의 모습을 계속 바라보아야 합니다. 자기 모습을 바라보는 것을 어색해하거나 피해서는 안 됩니다. 자기를 바라보면서 자신과 계속 대화해야 합니다. 성장하고 성숙한 부분에 관해 이야기하고, 부족하고 왜곡된 부분에 관해서도 이야기해야 합니다. 외출할 때 거울에 비친 자기 모습을 살피듯이 자기 내면을 들여다보고 살펴야 합니다.

동시에 내가 모방해야 할 존재를 찾아야 합니다. 나의 거울 뉴런이 반응할 좋은 대상을 찾아야 합니다. 즐기고 따르는 것을 닮는 것이 인간의 특징입니다. '근주자적근묵자흑(近朱者赤近墨者黑)'이란 말이 있습니다. 붉은색을 가까이하는 사람은 붉게 물들고, 먹을 가까이하는 사람은 검게 물든다는 것인데, 착한 사람과 사귀면 착해지고, 악한 사람과 사귀면 악해짐에 비유하는 말입니다.

지금 내 눈에 어떤 존재가 있느냐가 중요합니다. 내가 어떻게 지어져 가느냐는 나의 선택에 달려 있습니다. 오늘 내가 무엇을 바라보고 있느냐에 따라 나의 모습이 달라집니다. 헛된 것을 바라보고 있으면 헛된 것이 내 속으로 들어와 자리를 잡습니다. 못된 것을 바라보고 있으면 못된 것이 내 속으로 들어와 자리를 잡습니다. 참된 것을 바라보고 있으면 참된 것이 내 속으로 들어와 자리를 잡습니다. 옳은 것을 바라보고 있으면 옳은 것이 내 속으로 자리를 잡습니다.

이처럼 나를 지어가는 과정은 매우 섬세한 작업입니다. 한 장면, 한 장면이 중요합니다. 오늘 내가 있는 자리가 중요합니다. 내 거울 뉴런이 무엇을 바라보고 있느냐가 중요합니다. 내 눈이 나의 어떤 모습을 바라보고 있느냐가 중요합니다. 물신주의(物神主義)가 지배하는 정글 같은 세상, 무한경쟁을 통해 상대를 누르고 위로 올라가야 하는 세상, 인간다움을 찾아보기 힘든 세상. 이렇게 어그러진 세상에서 인간다운 나로 완성되어 가려면, 남과 나를 비교하는 대신 어제의 나와 오늘의 나를 비교해야 합니다. 그리고 나보다 앞서 완성의 길을 걸어가고 있는 이들을 바라봐야 합니다.

설령 나와는 결이 조금 다르다고 해도 앞서 걸어가는 그를 모방하기 위해 주목해야 합니다. 서로 결이 달라도, 서로 바라보고 모방할 아름다운 모습이 있다면, 우리는 서로에게 완성을 향해 지어져 가는 여정의 동행입니다. 내가 모방할 작은 아름다움을 발견했다면, 그것으로 충분합니다. 그리고 내 속에 작은 아름다움이 있다면, 그것으로 충분합니다. 모방을 지나 내 것이 되도록 주목하면 되고, 동행이 볼 수 있도록 보여주면 됩니다.

오늘은, 요즘 최고의 커피로 사랑받는 파나마 게이샤를 마셔야겠습니다. 여러 과정을 통해 잠재력을 폭발한 파나마 게이샤처럼 우리 삶도 잠재력을 폭발할 날이 다가오고 있습니다. 최고의 커피와 함께 그날을 생각하며 하루를 마십니다.

🦋 바람 한 모금

닮거나 배우고 싶은 것이 없다면,
그것은 내가 욕심이 없어서가 아니다.
나를 완성해갈 마음이 없어서다.
성장은 나를 향한 사랑에서 비롯된다.

 2005년 대회 입상 후 그 가치를 인정받기 전까지 파마나 게이샤는 주목받지 못한 커피였다. 게이샤의 고향은 에티오피아다. 1930년대 에티오피아 숲에서 발견된 야생 커피 게이샤는 탄자니아를 거쳐 코스타리카로 그리고 파나마로 전달되었다. 커피 녹병에 저항력이 있다는 것 때문에 주목받았지만, 나뭇가지가 연약해 재배하기 까다로울 것 같다는 염려 때문에 외면받았다. 하지만 이전의 낮은 고도와 달리 파나마의 높은 고도에서 자라난 게이샤는 지니고 있던 잠재력을 드러냈다. 품고 있던 꽃, 재스민, 복숭아 등의 섬세하고 화려한 향미를 폭발했다.

가끔은 느리게, 더 느리게

●

　내게는 한 가지 습성이 있습니다. 생각이 막히거나 온갖 생각들이 엉켜서 도무지 실마리를 찾지 못하면 일단 책상머리에서 벌떡 일어나 밖으로 나갑니다. 그리고 무작정 걷습니다. 일부러 아무 생각도 하지 않습니다. 그냥 걷기를 위한 걷기처럼 보입니다. 딱히 목적을 갖고 걷는 것도 아닙니다. 어디까지 걷겠다는 계획도 없습니다.

　그런데 걷다보면 어느새 헝클어지고 엉켰던 생각들의 갈피가 하나씩 정리되는 걸 깨닫습니다. 걷는 건 매우 단순한 행동입니다. 한 발을 앞으로 내딛고 다른 발은 뒤에서 버티고 밀어줍니다. 뛰는 것처럼 숨이 가쁘거나 근육이 뻐근한, 과도한 활동도 없습니다. 걷기는 무엇보다 누구나 할 수 있는, 특별한 기술이나 가르침이 필요 없는, 가장 기초적인 행동입니다.

무엇보다 걷기의 매력은 여유롭다는 것입니다. 서둘 일 없고 딱히 정해진 목적 없으니 바삐 달리거나 안달할 일도 없습니다. 우리의 일상이라는 게 사실은 대개 정해진 틀에 따라 촘촘하고 여유 없이 사는 것이지요. 얼핏 그저 반복적 일상이라 그냥 흘러가는 듯 보이기도 합니다. 그러나 하루를 따로 떼어놓고 보면 정신이 어지러울 만큼 치열합니다. 그게 쌓이면 몸도 축나지만, 어느새 마음도 무너지거나 무뎌지기 십상입니다.

그럴 때마다 잠깐 걸으며 호흡을 조절하고 생각을 가다듬을 수 있으면 다행스러운 일이지요. 생각을 가다듬는 게 꼭 생각을 정리하고 마무리를 짓는 것을 뜻하지는 않습니다. 그저 헝클어진 생각을 정돈하거나 빠른 흐름을 조금 느리게 다독이는 것만으로 충분할 수도 있습니다.

로베르트 발저(Robert Walser, 1878~1956)는 《산책자》에서 이렇게 말합니다.

바로 앞에 풍요로운 대지가 펼쳐져 있었지만 나는 가장 작고 가장 허름한 것만을 주시했다. 지극한 사랑의 몸짓으로 하늘이 위로 솟아올랐다가 다시 가라앉았다. 나는 하나의 내면이 되었으며, 그렇게 내면을 산책했다. 모든 외부는 꿈이 되었고 지금까지 내가 이해했던 것들은 모두 이해할 수 없는 것으로 바뀌었다. 나는 표면에서 떨어져 나와 지금 이 순간 내가 선함으로 인식하는 환상의 심연으로 추락

했다. 우리가 이해하고 사랑하는 것이 우리를 이해하고 사
랑한다. 나는 더 이상 나 자신이 아니라 어떤 다른 존재였
으며, 또한 바로 그렇기 때문에 비로소 진정으로 나 자신
이었다.

　산책은 내가 나를 만나는 일입니다. 하찮고 작은 것들에 관심
을 갖고 애정 어린 시선을 보내던 작가 발저는 강박적으로 산책
에 몰두했던 사람입니다. 그에게 산책은 내면을 거니는 행위였
고 그의 글이 되었습니다. 그러니까 그의 산책이 곧 그의 글이
고, 걷기는 그의 스타일을 만들어낸 육체였던 셈입니다. 그의 걷
기는 동시에 내면의 산책이었습니다. 많은 사상가들이 산책을
즐겼던 것은 걷기가 '사유의 외면화'라는 걸 알고 있었기 때문일
겁니다.
　흥미롭게 같은 말 비슷한 뜻인데도 우리는 산책이라 부르는
걸 일본사람들은 산보라고 부릅니다. 산보는 천천히 걷는 행위
입니다. 바람을 쐬거나 기분을 전환하기 위해 멀지 않은 곳을 이
리저리 천천히 거니는 것이 산보입니다. 의미와 쓰임에 큰 차이
는 없지만 산보의 '보(步)'는 걷는 동작을 강조합니다. 그러니까
산보는 '몸의 움직임'입니다. 산책의 사전적 의미도 크게 다르
지 않아서 바람을 쐬거나 기분을 전환하기 위해 멀지 않은 곳을
이리저리 천천히 거니는 것을 뜻합니다. 그런데 산책의 '책(策)'
이라는 말에는 생각이 담겼습니다. 뭔가를 꾀한다는 뜻입니다.
의견이라는 뜻도 있습니다. 그러니까 산보가 천천히 걷는 행위

자체라면, 산책은 천천히 걸으면서 이리저리 생각하는 양태를 담고 있다고 할 수 있겠습니다. 예술가나 사상가들에게 산책은 바로 그래서 창조적인 사유를 길어 올린 장치로 작용했던 거겠지요.

《고독한 산책자의 몽상》에서 장 자크 루소(Jean Jacques Rousseau, 1712~1778)는 10가지 산책을 이야기합니다. 그 첫 번째 산책에서 그는 서양의 오래된 질문, 즉 "너 자신을 알라!"라는 물음에 대한 진지한 대답을 추구합니다. 그렇게 10개의 산책이 진행되면서 루소는 자신의 삶 전체를 정리합니다. 열 번째 산책에서 루소는 더 이상 나아가지 못하고 삶을 마감합니다. 그래서 이 책은 미완성입니다. 어쩌면 열 번째 해답을 얻기 위해 그는 여전히 산책을 계속하고 있을지도 모르겠습니다. 우리 안에서. 루소의 산책은 어찌 보면 그의 삶의 궤적 그 자체입니다.

그는 드라마틱한 삶을 살았던 사람입니다. 그러나 그의 예리하면서도 따뜻한 시선은 산책을 통해 키워진 게 분명합니다. 루소는 일곱 번째 산책에서 대상을 바라보는 시각에 대해 이야기합니다. "그는 산책을 하며 이 식물 저 식물을 찾아 자유롭게 돌아다닌다. 그는 흥미와 호기심을 가지고 꽃을 하나하나 관찰한다. 그리고 그것들의 구조의 법칙을 파악하기 시작하면 그는 별다른 수고 없이 마치 큰 비용을 들인 경우처럼 강렬한 즐거움속에서 그 식물을 관찰하게 된다. 그 한가로운 활동 속에는 정념이 고요히 잠자는 가운데서만 느낄 수 있는 매력, 그 하나만으로도 삶을 보다 행복하고 감미롭게 해주는 매력이 자리 잡고 있다." 우리가 루소와 똑같은 삶을 살 수도, 그이처럼 대단한 성과를 거둘 수는 없어도, 그의 산책과 걷기를 통해 내 삶으로 그것들을 들여놓을 수는 있습니다.

　루소, 소로, 발저 등의 책을 읽지 않더라도 걷기를 통해 생각이 정리되고 감정이 누그러지며 시선이 따뜻해지는 걸 경험하는 일은 그리 어렵지도 드물지도 않습니다. 사람들은 한가하고 여유가 있을 때 걷기나 산책이 가능하다고 생각하는 듯합니다. 그러나 짧은 시간의 산책만으로도 충분한 경우도 많습니다.
　가톨릭 사제들이나 수도자들은 작은 정원이나 운동장에서도 왔다 갔다 걷는 일이 흔합니다. 혼자건 서넛이건 일상적인 일들입니다. 예전 왜관의 분도(성 베네딕도)수도원에서 피정할 때나 혜화동의 신학교(가톨릭신학대학)에서 강의할 때 그들이 짬짬이 운동장이나 정원을 오가며 이야기하거나 묵주기도하는 모습을 자주 보았습니다. 그것은 마치 생각을, 그리고 기도를 한 발짝씩 앞으로 내딛는 모습처럼 보였습니다.
　가만 앉아서 나누는 대화나 기도와는 달리 걸으면서 하는 그 행동들은 자연스럽게 동적이면서도 정적이고, 정적이면서도 동적인 느낌이 들었습니다. 발걸음이 한 폭씩 움직일 때마다 딛고 있는 지면이 달라지는 것만큼 생각의 화분도 달라지는 느낌이 아닐까 싶었습니다. 실제로 따라 해보니 그랬습니다. 걷는 일은 생각보다 훨씬 역동적입니다. 그리고 자연스럽게 생각도 따라 걷고 있음을 깨닫습니다. 몸도 마음도 생각도. 생각의 속도가 몸의 속도를 따라간다는 건 흥미로운 일입니다. 앉아있을 때는 제어되지 않던 생각의 속도가 걸을 때는 순하게 누그러집니다. 그러니 걷기는 단순한 몸의 이동이 아니라 생각의 이동이기도 합니다.

물론 치열한 걷기도 있습니다. 마치 익스트림 스포츠처럼 처절하기까지 한 걷기입니다. 언론인이었던 베르나르 올리비에(Bernard Olivier, 1938~)는 은퇴 후 자신이 침몰하는 배처럼 세상에 쓸모없는 존재가 되었다는 자괴감과 사랑하는 아내의 죽음, 그리고 극도의 우울증으로 자살을 시도하기까지 했습니다. 그런 그를 구원한 것은 걷기였습니다. 목숨을 걸고 실크로드 12,000km를 치열하게 걸었습니다.《나는 걷는다》는 그 산물입니다. 그래서 "홀로 외로이 걷는 여행은 자기 자신을 직면하게 만들고 육체의 제약에서, 그리고 주어진 환경 속에서 안락하게 사고하던 스스로를 해방시킨다."라는 그의 고백은 감동적입니다.
수많은 죽을 고비를 넘기고 실크로드가 끝나는 지점까지 도달한 그의 몸은 만신창이였습니다. "도보 여행의 매력은 좀 더 깊은 곳을 향해 빠져드는 도취감과 비슷하다. 걷는 데서 오는 행복감에 도취해 몸의 경고를 무시하기 쉽다."라는 말 그대로였습니다. 그러나 그는 걷기를 통해 많은 생각을 펼쳐보고 당당하게 맞서기도 하면서 성숙된 자신의 모습에 스스로 대견해합니다. 넉넉하든 치열하든 걷기의 매력은 갈수록 널리 퍼지는 듯합니다. 그러나 걷기의 진정한 매력은 모든 긴장을 내려놓고 짧게나마 일상의 흐름에서 벗어나 자신의 흐름을 발견하고 나를 건져 낼 수 있다는 점입니다.

가끔은(혹은 자주여도 좋습니다) 의자에서 엉덩이를 떼고 짧게라도 걸어야겠습니다. 나를 잠시 놓아줄 수 있어야 더 나은 나를 들여놓을 수 있기 때문입니다. 일부러라도 조금은 느리게 더 느리게 사는 법을 걸으면서 깨닫고 싶습니다.

 햇살 한 컵

달리기는 목적지에 최대한 빨리 가는 것이 목표다.
그러나 천천히 걷는 산책은
최대한 자연스럽게 나에게 들어가는 것이 목표다.

오늘의 나여서 고맙습니다

●

'인간은 사회적 동물이다'라는 고대 철학자의 말에 담긴 인간의 정체성은, 포스트휴머니즘(Posthumanism)을 이야기하는 세상이 되었지만, 지금도 여전히 유효한 우리의 정체성입니다. 인간은 다른 사람들, 특히 자신이 속한 공동체 내 일원들과의 관계 속에서 자신의 정체성을 정의 내리는 사회적 동물입니다. 우리는 누군가의 아들과 딸로 태어나 누군가의 형제자매로 살고, 어머니와 아버지가 됩니다. 그리고 누군가의 이웃이자 동료로 삽니다.

이렇게 우리는 우리에게 의미를 지니는 특정한 타인들과 이루는 작은 집단들에 연결되어 살아갑니다. 그들이 우리에 대해 갖는 감정과 의견이, 우리가 자신에게 느끼는 감정에 영향을 줍니다. 타인들에 관한 언급 없이 오직 홀로 존재하고 이해될 수 있는 고립된 자아에 대한 관점은 성립할 수 없습니다.

우리는 우리의 자아의식을 대인관계 영역에서 발전시켜나갑니다. 자아는 개인적이었다가 나중에 사회적으로 변하는 것이 아니라 처음부터 타인과의 유기적인 관계를 맺으며 성장합니다. 이때, 타인의 평가는 거울과 같습니다. 다른 사람이 나를 어떻게 바라볼지 그려 보고, 그것을 통해 자신의 외모, 태도, 행위, 성격 등을 파악하게 됩니다.

19세기 말 미국에서 활동했던 사회학자 찰스 호턴 쿨리(Charles Horton Cooley, 1864~1929)는 대인관계 속에서 자리 잡아가는 셀프(self)의 역동을 추적했습니다. 그는 셀프의 역동을 '거울상 자아(Looking glass self)'라는 말로 표현했습니다. 우리는 많은 사람과 인간관계를 맺습니다. 그런데 사람마다 개성이 다르다 보니, 특정한 상대는 내 모습 중 특정한 모습만을 보고, 특정한 모습만을 기대합니다. 이런 패턴이 굳어지면 그가 나를 어떤 식으로 바라보는지 파악하게 되며, 무의식중에 그의 기대에 부합하도록 행동합니다. 여기서 한 걸음 더 나아가면 그 사람의 눈에 비친 나의 이미지를 나 스스로 흡수해 내 셀프의 일부분으로 삼게 됩니다. 이처럼 사회 환경 안에서 중요한 타인은 개인의 이미지를 비추는 거울이 됩니다. 이렇게 개인은 사회적 상호작용을 통해 타인에게 반영된(비춰진) 자신을 봅니다.

예전보다 우리는 더 많은 타인과 연결되어 삽니다. 일상과 생각, 느낌과 경험을 실시간으로 공유합니다. 예전에도 함께하고 나누던 것이지만, 그때는 시간과 공간의 한계 안에서 이루어졌습니다. 같은 곳에 함께 있던 사람이 아니면, 실시간으로 공유하지는 못했습니다. 페이스북, 인스타그램, 유튜브, 블로그, 트위터, 밴드…. 예전에는 없던 SNS가 있어 우리는 실시간으로 연결되어 삽니다. 그러다 보니 우리는 끊임없이 우리 자신의 정체성마저 비교하며 삽니다. 일상과 생각, 경험과 느낌이 모두 비교의 대상이 되었습니다. SNS에 공유한 나에 대한 반응에 신경이 쓰입니다. '페친', '인친'들이 긍정적 반응을 보이면 기분이 좋아지지만, 아무도 관심을 보이지 않으면 불편해집니다. '좋아요' 개수를 비교해 봅니다. SNS에 공유된 타인들은 모두 멋지게 보입니다. 하지만 나는 초라합니다.

그런데 정말 그럴까요? 다들 잘 살고 있는데 나만 혼자이고, 힘든 걸까요? 아닙니다. SNS는 자신의 최고의 순간을 기록할 때가 많습니다. 그러니 우리는 타인의 최고의 순간과 자신의 평범한 순간을 비교할 때가 많습니다. 누구나 멋진 인생을 살고 싶지만, 문제는 늘 생기게 마련입니다. 누구나 내면에 문제가 있습니다. 다들 잘 살고 있는데 나만 초라하게 사는 것이 아닙니다. 그동안 우리는 자신에게 만족하지 못했습니다. 나를 그대로 받아주지 못했습니다. 외모도 성격도 마음에 들지 않았고, 처한 현실을 부끄러워했고, 꿈을 숨겨왔습니다. 자신에게 참 미안한 일입니다. 괜한 비교에 나를 초라하게 만들었습니다.

톨스토이(Lev Nikolayevich Tolstoy, 1828~1910)가 말년에 남긴 문답 중에 "당신에게 가장 소중한 사람은 누구인가?"라는 질문과 "바로 옆의 사람"이라는 답변이 있습니다. 우리는 소중한 옆의 사람을 계속 소중한 사람으로 대할까요? 우리에겐 옆의 소중한 사람이든 좋은 것이든 익숙해지면 이를 소중히 여기기보다는 소홀히 대하면서 다른 사람이나 다른 것을 찾아 두리번거리는 한편, 나쁜 것에 익숙해지면 더 나쁜 것을 저항 없이 받아들이는 경향이 있습니다.

누구를 미워하거나 무관심한 건 특별한 일이 아닙니다. 사람마다 좋아하는 사람과 싫어하는 사람이 있게 마련입니다. 하지만 가까운 사람을 미워하는 것은 문제입니다. 배우자를 사랑하지 않거나 연인에게 무관심하면서 행복하기란 어렵습니다. 하물며 그 싫어하는 대상이 자신이라면 어떨까요? 행복해지기 위한 온갖 방법을 이야기하지만, 진짜 행복은 자신을 사랑하는 것에서 시작됩니다.

사랑받을 만한 자격과 가치로 똘똘 뭉친 사람은 없습니다. 모든 면에서 완벽한 사람도 없습니다. 마찬가지로 아무 데도 쓸모가 없는 사람도 없습니다. 단지 사랑받을 자격이 없다고, 쓸모가 없다고 믿는 사람이 있을 뿐입니다. 오늘 만나는 나를 어떤 눈으로 볼 것인지는 내가 정합니다. 오늘 내가 어떤 모습이든 그대로의 나를 사랑하는 것이 중요합니다. 오늘 만나는 나에게 '오늘의 나여서 고맙다'라고 말을 건네 봅니다.

오늘은, 습관처럼 주문하던 내게 익숙한 커피가 아니라 '오늘의 커피'를 마셔야겠습니다. 낯선 커피여도 좋습니다. 익숙한 곳에서 만나는 낯선 커피여서 더 좋습니다. '오늘의 커피'로 선정

된 까닭이 무엇일까 천천히 음미하면 됩니다. '오늘의 커피'와
함께 하루를 마십니다.

🦋 바람 한 모금

내가 나를 오해하고 있다면
그것부터 고쳐야 한다.
내가 나를 잘못 평가하고 있다면
그것부터 바로 잡아야 한다.
그래야만 나다운 걸음을
당당하게 자연스럽게 걸을 수 있다.

'오늘의 커피'만 선택하는 벗이 있다. 더 비싸고 좋은 커피를
선택하라고 권해도 예외가 없다. 해당 매장에서 판매하는 최고의 커피를
'오늘의 커피'로 선정하는 경우는 거의 없다. 그리고 늘 그런 것은 아니지만,
'오늘의 커피'는 할인이 적용될 때가 많다. 어느 날 궁서체 분위기로 까닭을
물었더니 '오늘의 커피니까, 다른 커피들은 오늘의 커피가 아니잖아'라는
대답이 돌아왔다. 예상 못한 대답이었다. 어떻게 반응해야 할지 몰라 머뭇
거리고 있는 나에게 벗이 이야기했다. '새로운 커피를 만나는 주문이야.' 그
날 이후 나도 가끔 이 주문을 사용한다.

때로는 기꺼이 고독할 수 있어야 합니다

●

　　그럴 때가 있습니다. 분명 여러 사람들과 섞여 있는데 나만 혼자 낯선 이방인처럼 따로 떨어져 있는 듯한 느낌이 드는 때가 말입니다. 당혹스럽고 불안합니다. 살아오면서 어찌 그런 날이 없었겠습니까? 앞으로도 그런 날은 되풀이해서 나타나겠지요. 그럴 때마다 나는 먼저 '독립'을 생각합니다. 나는 독립적인 존재이기 때문에 그런 감정을 느끼는 것이라고. 그런 뒤에 과연 나는 독립적인지 생각해봅니다. 무엇으로부터 독립하는 것인지도 물어봅니다. 그럴 때는 잠시 타인과의 관계를 접어두고 조용히 나에게로 물러납니다. 온전히 혼자인 상태가 됩니다. 낯설고 어색하기도 합니다. 그러나 놀랍게도 그렇게 물러나면서 나를 다잡고 호흡을 다듬습니다. 제대로 혼자여야 혼자를 넘어 함께 하는 관계와 삶이 꾸려지는 것을 경험합니다.

　　뭐 나라고 중뿔나게 늘 혼자인 것을 아무 때나 일부러 챙기지는 않습니다. 혼자 살아갈 수는 없습니다. 깊은 산속에서 완전히 자급자족하며 산다고 평생 다른 사람 만나지 않고 살아갈 수는 없습니다. 이미 태어날 때부터 누군가가 곁에 있었습니다. 혼자 설 수 있고 혼자 살아갈 수 있는 바탕이 마련될 때까지 누군가 곁에 있었습니다. 그게 가족이건 친구건. 그러니 어찌 어떤 사람이 혼자 살아갈 수 있겠습니까. 분명 사람은 사회적 존재입니다.

한 사나이의 파란만장한 무인도 표류기인 대니얼 디포(Daniel Defoe, 1660~1731)의 《로빈슨 크루소》에서 주인공 로빈슨 크루소(원래 이름은 로빈슨 크루트너)는 무인도에서 28년 동안 혼자 살다가 우연히 해적선에 의해 구출됩니다. 그러나 그 섬에서 그가 완전히 홀로 살았던 건 아닙니다. 물론 그렇게 '혼자' 살아간다는 것도 가혹한 일입니다. 로빈슨 크루소는 결국 '사람들'에게 돌아옵니다. 문명으로 돌아옵니다. 문명이란 '함께 살아가며 함께 이룬 삶의 어울림'이라는 점에서 인간은 사회적 삶을 통해 자아를 실현합니다.

혼자 살아간다는 건 엄청나게 힘든 일입니다. 인간은 관계를 맺으며 살아갑니다. 도움을 받고 도움을 주면서 서로에게 이익이 되는 관계를 통해 살아갑니다. 그러나 늘 그 관계의 그물코에 둘러싸인 채 살아갈 수는 없습니다. 언제나 '나 혼자'인 때가 있습니다. 그리고 그 '혼자인 때'가 가장 자신에게 솔직하고 농밀한 시간입니다. 그 시간을 마련하지 못하는 삶은 이리저리 떠다니는 부초와 다르지 않습니다. 정작 자신이 어디에 있는지, 어디로 가는지도 모르는 채 누군가에 섞여 있어야 겨우 존재감을 느끼는 건 이미 '남의 삶'이지 '나의 삶'은 아닙니다. 그런데도 혼자 있으면 불안하고 허전합니다. 왜 그럴까요?

혼자 있다는 것과 외롭다는 건 비슷하지만 같은 건 아닙니다. 폴 틸리히(Paul Johannes Tillich, 1886~1965. 독일 출신의 신학자 겸 종교적 사회주의의 이론적 지도자)는 '외로움'이란 혼자 있는 고통을 표현하기 위한 말이고, '고독'이란 혼자 있는 즐거움을 표현하기 위한 말이라고 정의했습니다. 외로움은 단순히 마음이 헛헛하고 가끔 괴로움으로 나를 갉아먹는 심리상태에 그치는 게 아닙니다.

미국의 공중보건위생국장을 지낸 비벡 H. 머시(Vivek H. Murthy, 1977~) 박사는 《우리는 다시 연결되어야 한다》(Together)라는 책에서 우리가 다양한 관계망을 형성하고 사는 것 같지만, 정작 자신을 발견하지 못하고 건강한 공동체적 연대를 마련하지 못하면 외로움이 질병으로 악화한다고 지적합니다. 그것을 예방하고 치료하는 것은 개인의 차원에 그치지 않고 '보이지 않는' 질병으로서 외로움을 직시해야 해결할 수 있다고 강조합니다. 외로움은 혼자 해결할 수 있는 게 아닙니다. 건강한 공동체적 연대가 그래서 필요합니다.

혼자 있다는 건 외로운 것과는 다릅니다. 살짝 먹물에 적셔 말하자면 '독존(獨存)'입니다. 홀로 자신을 바라보고 세상을 해석하는 계기입니다. 그런데 혼자 있다는 게 불편하고 불안하니 자꾸만 관계 속으로 나를 집어넣습니다. 고독과 고립을 구별하지 못하기 때문입니다. 제가 입버릇처럼 되풀이하는 말이지만, 고립은 타율적 고독이고 고독은 자율적 고립입니다. 고독은 병이 아니고 오롯하게 자신에게 집중할 기회입니다. 자신과 세상을 1:1로 정면으로 바라보며 때로는 투쟁하고 때로는 도닥이는 소중한 기회입니다.

그러므로 고독은 자신의 영혼을 차가운 물에 적셔 촉촉하게 하기도 하고, 물기를 너무 머금어 무겁게 쳐졌을 때는 햇살 좋은 날 널어 뽀송뽀송하게 말려주기도 합니다. 그걸 엇박자로 대하거나 고립과 뒤섞인 채 혼동하면 감당하기 어려워 아예 홀로 있음을 피하게 됩니다.

정말 제대로 사회적 삶을 살기 위해서는 먼저 혹은 가끔 기꺼이 고독할 수 있는 용기와 지혜를 가져야 합니다. 고독 안에서 마음을 차분히 가라앉히고 깊이 사색하거나 어떤 생각에 깊이 몰입하며 내면 깊숙한 곳에서 대화할 수 있을 때 비로소 자존감이 생깁니다. 자존감과 자존심은 다릅니다. 자존감은 없으면서 자신의 약점이나 열등감이 건드려졌을 때 발끈하는 자존심은 자칫 상처를 내지만, 자존감은 그까짓 것쯤이야 그저 허허롭게 웃어넘길 수 있는 담대함을 깔 수 있게 해줍니다. 자존감이 없는 사람이 자존심에 유독 예민한 건 그 때문입니다. 고독조차 감당하지 못하거나 회피하는 사람이 어찌 자신의 존재 이유나 당위에 대해 당당하게 인식하고 감각할 수 있겠습니까. 고독과 고립을 분별하고 자존감과 자존심을 가려낼 수 있어야 합니다.

지금보다 훨씬 어리고 젊었을 때는 혼자 있는 게 감당하기 괴롭게 여겨진 적도 많았습니다. 그래서 심지어 공부도 집에서 혼자 하는 것보다 학교 도서관이나 하다못해 동네 독서실에서 누군가를 보면서 해야 마음이 놓이고 오히려 집중력이 높게 느껴지기도 했습니다. 혼자 있는 걸 감당하지 못하던 나이이기도 했지만 누군가와 함께 있는 게 더 좋았기 때문이었을 겁니다. 그래서 어떤 때는 당구를 즐기지 않으면서도 친구들 따라 그들이 당구 치는 모습을 바라보며 앉아있기도 했습니다. 고독과 고립을 구별하지 못했던 때였습니다. 그런데 참 희한한 게 그렇게 당구장에 앉아 멀뚱멀뚱 바라보면서 정작 나는 혼자 이 생각 저 생각 마음껏 배회하며 나를 만나고 있는 것 아니겠습니까? 아마도 그건 고독과 고립이 범벅이 된 상태라고 해야겠지만 서서히 자신에게 침잠해가는 것을 즐기고 있는 나를 발견하곤 했습니다. 완전하지는 않지만 고독과 고립의 중간쯤에서 왔다갔다 하는 것도 그리 나쁘지는 않았습니다. 이제는 함께 같은 공간에 있지 않아도 여러 가상공간을 통해 교류할 수 있으니 그때보다 덜 외로울까요? 오히려 거기에 더 매달리고 집착하고 있는 건 아닌지 모르겠습니다. 정도의 차이가 있을 뿐 너 나 차이가 별로 없는 듯합니다.

나 역시 사회적 존재로서의 인간입니다. 그 틀에서 벗어나 살

화사한 햇살 아래

046

수 없습니다. 누군가의 도움을 받으며 의지하며 살아갑니다. 또한 다양한 관계의 매듭을 엮으며 살아가지요. 나에게 관심을 주는 이들의 애정과 충고가 때론 휘청대고 갈등하는 내게 큰 도움이 됩니다. 그런 것이 없다면 어찌 삶을 꾸려갈 수 있겠습니까. 한 터럭도 부인할 수 없고 거부할 수도 없습니다. 하지만 거기에만 기대서 살 수는 없습니다. 나는 나의 삶을, 오롯이 전적으로 내가 책임지고 감당해야 합니다. 도움과 충고를 받아도 결국 마지막 판단과 선택은 나의 몫입니다. 그런데 정작 나 자신에게 충실할 수 있는, 나 자신과의 대화의 시간을 마련하지 못한다면 그 몫은 어수룩하고 무책임한 결과에 이어질 뿐입니다. 그럴수록 오히려 기꺼이 고독을 선택해야 하겠습니다. 무엇보다 일단 고독해야 책이라도 읽을 수 있겠지요.

혼자 팽개쳐진 상태는 외로움이지만, 나의 문을 열고 내게 말걸고 내 말을 들어보는 고독의 시간은 오히려 농밀한 시간입니다. 하루 한 귀퉁이라도 그런 시간을 마련하면서 살아가지 못한다면 그저 성긴 삶을 이어가고 이런저런 외적인 것들로 짜깁기하면서 우왕좌왕할 뿐입니다. 결국은 혼자입니다. 그것을 인정하는 건 쉽지 않더라도 엄연한 사실입니다. 그러나 고립이 아닌 고독은 때론 힘들지 모르지만 없으면 안 되는 핵심입니다.

피정(避靜, retreat)은 성직자·수도자·신자들이 자신들의 영신생활에 필요한 결정이나 새로운 쇄신을 위해 어느 기간 동안 일상적인 생활의 모든 업무에서 벗어나, 묵상 · 성찰 · 기도 등 종교적 수련을 할 수 있는 조용한 곳으로 물러남을 뜻합니다. 스님들의 하안거(夏安居: 여름 동안 한 곳에 머물면서 수행에 전념하는 일) · 동안거(冬安居)도 그와 비슷합니다.

성직자와 수도자에게 피정은 필수입니다. 일반 신자들도 자발적인 피정을 통해 자신의 삶과 신앙을 성찰하며 호흡을 다듬습니다. 피정은 일상의 삶에서 잠시 벗어나 긴 고독의 시간을 통해 나의 존재를 곧추세우고 성찰하며 신과 세상에 대한, 내 삶에 대한 진지한 고민과 침묵의 대화를 갖는 과정입니다. 일상적 고독에 비해 훨씬 더 밀도가 높은 고독입니다. 종교와 무관하게 그런 피정의 여지를 마련해야 합니다. 우리는 결국 혼자이기 때문입니다. 그리고 그 혼자를 온전하게 인식해야 모든 관계를 제대로 그리고 올바르게 정립할 수 있는 계기를 마련할 수 있습니다.

고독의 시간을 마련하며 살아가는 일상은 그저 그런 하루의 반복이 아닙니다. 나의 성찰과 치열한 논리와 합리적 방식을 갈무리해서 채우는 하루가 어찌 어제와 똑같은 반복적 하루일 수 있겠습니까. 나는 오늘도 고독의 문을 열고 나의 영토에 잠시 머물겠습니다. 기꺼이 고독하겠습니다. 그 고독은 '달콤한 쓴맛 (sweet bitterness)'입니다. 인간에게 고독은 가혹한 형벌이 아니라 존재의 본 모습이며 내게 더 충실하고 나아가 나와 관계 맺은 모든 존재에 대해 충실할 수 있는 발판이기도 합니다. 누구나 인간은 혼자입니다. 그걸 피할 게 아니라 누릴 수 있으면 그것만으로도 삶은 조금 더 농밀해질 것입니다. '혼자인 것'을 두려워만 할 게 아니라 기꺼이 받아들일 수 있어야겠습니다. 괴테(Johann Wolfgang von Goethe, 1749~1832)의 말은 곱씹어볼 가치가 충분합니다.

인간은 사회에서 어떠한 사물을 배울 수 있을 것이다.
그러나 영감은 오직 고독에서만 얻을 수 있다.

외로움은 혼자 있어서가 아니라 홀로 서지 못해서 느끼는 고통이라던가요? 고독은 의연하게 홀로 서는 힘을 키우는 시간입니다. 혼자여서 외롭고 두려운 게 아니라, 모든 시간과 생각을 혼자 만끽할 수 있다는 것만으로도 고독은 매력적입니다. 외로운 고립을 충실한 고독으로 전환시키는 것만으로도 큰 힘이 솟습니다.

 햇살 한 컵

고독을 감당하는 방식이
삶의 밀도를 결정한다.

낯선 나와 만나고 있다면
오늘 나는 행복한 여행 중입니다

●

　　같은 아침이지만, 일상에서 만나는 아침과 여행에서 만나는 아침은 같지 않습니다. 일상의 아침이 무겁고 반복적이라면, 여행의 아침은 가볍고 낯선 모습입니다. 그런데 내가 여행의 아침으로 만나는 그 아침을 일상의 아침으로 만나는 이들이 있습니다. 나에게는 낯선 여행지가 일상의 장소인 이들에게는 여행의 아침이 아니라 일상의 아침입니다. 묘한 역설입니다. 이처럼 일상과 여행의 경계가 모호합니다.

　　여행지에서 만나는 하루는 일상의 하루와 달리 낯설고 새로운 모습으로 다가옵니다. 아침의 모습도, 저녁의 모습도, 거리와 골목의 모습도, 하늘과 땅 그리고 사람의 모습도 낯설고 새롭게 다가옵니다. 하지만 일상과 여행은 같은 곳에 함께 있습니다. 여행자에게는 여행이지만, 그곳의 사람들에게는 일상입니다. 같은 곳에서 만나는 하루이지만, 일상의 하루와 여행의 하루는 같지 않습니다.

하루 중 가장 많이 반복하는 행위인 걸음도 일상의 걸음일 때와 여행의 걸음일 때는 같지 않습니다. 일상에서 우리의 걸음은 목적지에 도착하기 위한 수단이자 과정이어서 분주하고 빠르고 직선적입니다. 최단 거리를 찾고, 이동 시간을 줄이기 위해 노력합니다. 그러나 여행에서 걸음은 다른 걸음이 됩니다. 걷는 길 자체를 좋아하게 되고, 멈춤과 나아가기를 반복하고, 앞으로 가기와 되돌아가기가 겹치고, 빨리 걷기와 느리게 걷기가 공존합니다. 여행에서의 걸음은 즐김과 기록과 기억의 걸음입니다. 아주 천천히 걷고, 이리저리 두리번거리고, 멈춰 서서 그 순간을 기록하고, 느끼고 감탄합니다.

같은 거리를 걷지만, 일상의 걸음으로 걷는 이들과 여행의 걸음을 걷는 이들이 함께 있습니다. 여행지에서도 일상의 걸음을 걷는 이가 있는가 하면, 일상에서도 여행의 걸음을 걷는 이가 있습니다. 효율이 지배하는 세상에서 살다 보니, 빠른 속도로 일하는 것이 효율적이고 느린 속도로 일하는 것이 비효율적이라는 이분법에 갇히기 쉽습니다. 그러다 보니 최단 경로를 찾아 빠른 걸음을 걸을 때가 많습니다.

내가 누구이냐에 따라 내가 만나는 하루는 달라집니다. 어제와 같아 보여도 매일 우리는 처음 만나는 오늘을 살고 있습니다. 비슷한 장면을 만날 수는 있지만, 같은 장면을 만날 수는 없습니다.

　낯선 여행지에서 만나는 아침이 낯설고 새롭게 느껴지듯 우리는 매우 낯설고 새로운 오늘을 만나고 있습니다. 숨은 그림 찾듯 바라보면, 같은 그림 찾을 수 없는 낯선 하루가 오늘이 되어 우리를 지나가고 있습니다.

　여행지에서 우리가 일상과 다른 모습이 되는 것은, 일상의 의무와 책임에서 벗어나기 때문입니다. 무언가 해야만 하는 의무와 책임, 그 의무와 책임을 감당하기 위해 가장 멋진 길을 걸으면서도 그것을 즐기거나 기록하거나 감탄하지 못합니다. 그저 목적지에 이르는 과정이자 수단으로 만날 뿐입니다.

　그런데 여행지에서 우리는 의무와 책임에서 벗어나 일상의 내가 아닌 다른 내가 됩니다. 그렇게 일상의 그물에서 벗어나 자유로운 내가 되기에 나를 둘러싼 것들을 수단과 과정으로 만나는 것이 아니라 즐김과 감탄으로 만납니다.

　낯선 여행지에서 우리는 우리의 이름표를 내려놓습니다. 여행지에서 우리는 이름 없는 사람이 됩니다. 일상에서 내가 누구이고, 무슨 일을 하고, 어떤 사람인지 상관없이 그저 한 사람, 여행하는 사람이 됩니다. 그래서 우리는 일상과 달리 여행지에서 평소보다 자유롭게 행동합니다. 일상에서는 만나지 못했던 자신의 다른 모습을 만날 때도 있습니다. 무거운 이름표에 갇혀 있던 익숙한 자기가 아니라 낯선 자기를 만날 때가 있습니다.

마음만 먹으면 일상도 여행이 됩니다. 익숙한 길을 걸을 뿐, 같은 길을 반복해서 걷는 것은 아닙니다. 여행자의 낯선 눈으로 보면, 같은 곳에서 다른 모습을 발견하고, 익숙한 곳에서 새로운 모습을 발견합니다. 비슷한 구름을 볼 뿐, 같은 구름을 보는 것이 아닙니다. 습관처럼 같은 음식점에서 같은 음식을 주문하지만, 같은 음식을 먹는 것은 아닙니다. 오늘 처음 출근한 낯선 주방장이 준비한 낯선 음식을 만날 수도 있습니다.

낯선 여행지에서 낯선 장면을 만나듯 우리는 날마다 다른 하루를 여행하며 삽니다. 날마다 처음 만나는 아침을 맞이하고, 날마다 처음 만나는 사람들을 스치고, 날마다 처음 만나는 저녁과 이별합니다.

날마다 다른 하루를 걷고, 날마다 다른 설렘을 경험하며 삽니다. 나만 걸을 수 있는 새로운 하루, 나는 날마다 새로운 하루를 여행하며 삽니다. 그러고 보면, 여행이 없었던 것이 아니라 내가 일상에 갇혀 있었습니다. 반복해 마주하던 풍경이 어느 날 아름답게 보여 아름답다고 하면, 뭐가 그렇게 아름다워 보이냐고 묻는 이들이 있습니다.

일상에 머물러 있으면 보이지 않던 것이, 여행자가 되면 비로소 보일 때가 있습니다. 보는 내가 보이는 풍경의 얼굴을 다르게 합니다. 일상에 갇힌 내가 아니라, 여행자인 낯선 내가 될 때 일상의 여행이 시작됩니다. 일상의 이름표를 내려놓은 낯선 나를 만나고 있다면, 이미 시작된 행복한 여행 안에 있습니다.

오늘은, 아침에 어울리는 부드러움이 돋보이는 콜롬비아 수프레모를 마셔야겠습니다. 식었을 때도 맛의 변화가 매우 적어 여운이 긴 커피, 풍부한 향과 함께 여행 같은 하루를 마십니다.

🦋 바람 한 모금

마음이 바뀌지 않으면,
바뀌는 것은 없다.
낯선 시간과 공간에 있어도
나는 여전히 나일 뿐이다.
마음이 바뀌면
익숙한 시간과 공간에 있어도
달라진 나를 만날 수 있다.

콜롬비아 커피는 워시드 커피(Washed Coffee)인 마일드 커피(Mild Coffee)의 대명사다. 유럽 선교사들을 통해 커피가 소개되어 1800년대 초부터 커피 경작이 시작되었고, 1900년을 기점으로 세계 최대 커피 생산국가로 발전했다. 커피를 생산하는 안데스산맥 지역은 해발고도 1,400m 이상으로 비옥한 화산재 토양과 온화한 기후, 적절한 강수량 등 이상적인 재배 조건을 갖추고 있다.

당신이 있어서 고맙습니다

●

인간은 결국 혼자입니다. 물론 섞여 살고 사회적 관계를 맺으며 삽니다. 그래서 외롭지 않고 도움을 주고받으며 삽니다. 그런 사람들이 곁에 있어 행복하고 고맙습니다. 그러나 죽을 때는 완벽하게 혼자입니다. 어느 누구도 피할 수 없는 일이지요. 모든 존재에게 외로움은 운명입니다. 그러니 어찌 외롭지 않은 사람이 있겠습니까.

어떤 이는 외로움을 대수롭지 않게 넘깁니다. 어떤 이는 스스로 외로울 틈을 주지 않고 부지런히 누군가와 관계를 맺고 이으며 삽니다. 그런데 어떤 이는 외로움의 깊은 수렁에 빠져서 헤어나지 못하는 경우도 있습니다. 외로움이 깊어지면 병이 됩니다. 외로움이 내적으로 깊어지면 대인기피증에 빠지기도 하고 의도적 자폐에 자신을 가둬버리기도 합니다. 외로움이 밖으로 드러나면 폭력적이거나 거칠어집니다. 그런데 그걸 스스로 통제하지 못합니다. 그러면 병이 됩니다. 그걸 견디지 못해서 스스로 귀한 목숨을 끊기도 합니다. 그런 외로움은 결코 가벼운 정신적 감기쯤 치부할 수 있는 게 아닙니다. 감당하지 못하는 외로움은 절망과 포기로 몰아넣기 때문입니다. 그리고 타인에게도 상처를 줍니다.

스스로 선택한 고독은 상처가 아니라 치유와 회복의 귀한 선물입니다. 그러나 자칫 고립감에 빠지기 쉽습니다. 자율이냐 타율이냐 따져서 명쾌하게 구별되는 것도 아닌, 그런 외로움도 있습니다. 사실 때론 그 경계가 모호하기도 합니다. 스스로 선택한 고립인 고독의 상태에서도 자칫 한 발 삐끗하면 고립의 나락에 빠져드는 경우도 허다합니다. 그래서 우리는 자꾸만 누군가에게 의지하거나 관계의 끈을 여러 가닥으로 이어가려 합니다. 막상 그 관계라는 게 그다지 생산적이지도 못하고 그저 시간만 축내는 그런 것이라 해도 쉽게 정리하지 못하는 건 어쩌면 외로움 자체에 대한 두려움 때문입니다. 심지어 누군가와 함께 있어도 외롭다는 느낌이 들 때도 있습니다. 굳이 거창하게 '군중 속의 고독' 운운하지 않더라도 그런 일은 흔치는 않아도 가끔은 있는 일입니다. 마치 인간의 숙명인 듯 말입니다.

외로움은 마음의 병입니다. 그런 것도 병이냐고 비아냥거릴 사람도 있겠지요. 뼈가 부러진 것도 아니고 장기에 염증이 생긴 것도 아닙니다. 병원에서 진단해도 잘 잡히지 않는 경우가 많습니다. 차라리 검진에 잡히면 수술하던지 약으로 고칠 수나 있겠지만 그렇지 않으니 당사자는 답답하기만 합니다. 누군가에게 이야기해도 이해하지 못하겠다는 표정을 감추지 않거나 건성으로 고개를 끄덕일 뿐 공감하는 눈치도 아닙니다. 괜히 말한 사람만 무안해지기 십상입니다.

온 세상 사람들은 행복하게 사는 것 같은데 나만 혼자 소외되고 낙오된 느낌이 든다면 과연 무슨 희망이 보일까요? 물론 누구나 외로운 시간을 만납니다. 그러나 단순한 외로움이 아니라 절대 소외의 외로움으로 느껴진다면 그것은 지옥과도 같을 것입니다. 폭력과 차별의 뿌리에는 그런 감정이 깊게 깔려 있습니다. 그래서 고립의 문턱을 넘어 고독의 영토로 넘어가는 것이 필요합니다. 그런 고독은 곧 독립의 바탕이 됩니다. 그러나 그것만으로 해결되거나 해소되지는 않습니다.

사람은 사람을 그리워하게 되어 있습니다. 사람은 사람을 필요로 하게 되어 있습니다. 그런 사람이 곁에 있느냐 없느냐의 차이가 외로움을 병으로 만들지 촉촉한 감상(sentiment)으로 만들지 결정합니다. 그리움을 넘어 나의 생명까지도 기꺼이 덜어주거나 던질 수 있는 것이 바로 사랑입니다. 사랑하는 사람이 있다는 것만으로도 삶은 미덥고 도탑습니다. 물론 그것을 평생 간직하고 성숙시키는 건 다른 일입니다. 그것은 사랑에 인격이 더해져야 가능한 일입니다. 죽음을 두려워하지 않던 사랑도 한순간에 불꽃이 사위고 꺼지면 남만도 못한 존재가 됩니다. 평생의 사랑을 맹세하고 살던 부부도 서로 미워하고 원망하며 급기야 저주를 쏟아 붓거나 끝내 이혼하는 일도 흔히 볼 수 있습니다. 그

렇지만 한 사람의 삶에서 누군가 뜨겁게 사랑할 사람이 있었다
는 것만으로도 이미 충분히 의미와 가치가 있는 일입니다.

든든하고 미더우며 그를 위해서라면 기꺼이 손해도 감수할
수 있는 벗이 있으면 또한 고마운 일입니다. 우정은 사랑처럼 불
꽃으로 타오르지는 않지만, 시간이 흐를수록 더 도탑고 깊어집
니다. 그런 벗이 있다면, 나의 고민을 내 입장에서 들어주고 함
께 안타까워하며 나의 기쁨을 자신의 행복으로 여기는 벗이 있
다면 그것만으로도 삶은 성공적이라 하겠습니다.

그뿐이겠습니까. 이런 저런 인연과 사연으로 알게 되는 많은
이들이 있습니다. 물론 그들 중에는 차라리 모르고 살았더라면
더 좋았을 악연의 관계도 간혹 있지만, 그래도 그렇게 서로 매듭
을 맺고 사는 이들이 있어서 내 삶이 지루하거나 무기력하지 않
고 힘들 때 다시 일어설 수 있으며, 기쁠 때 더욱 행복해지는 삶
의 매 순간들이 보석과도 같습니다.

누구도 결국은 혼자인 건 피할 수 없는 운명입니다. 그래도
때로는 기꺼이 고독할 수 있는 용기와 지혜, 그리고 너그러움이
필요합니다. 물론 마냥 그렇게만 살 수는 없습니다. 그러니 당신
이 있어서 얼마나 다행이고 고마운지 모릅니다. 나도 당신에게
그런 존재이기를 조용히 희망합니다. 그렇게 우리는 서로에게
기대어 삽니다. 당신이 있어서 고독을 이겨낼 수 있는 것임을 조
금씩 더 깨닫습니다. 함께여서 홀로 있음을 감당할 수 있고, 혼
자 있어서 함께 할 당위를 깨닫습니다. 당신이 있어서 고맙습니
다. 그렇게 고백할 사람이 단 한 사람만 있어도 이미 삶은 축복

입니다. 그리움만으로도 충분히 고맙고 행복한 사람이기 때문
입니다.

 햇살 한 컵

당신이 있어서 내가 있다.
더 무슨 말이 필요하겠는가.
당신은 사랑이다.

별점 인생, 굳이 별이 다섯 개가 아니라도

●

　　"사람 위에 사람 없고, 사람 밑에 사람 없다"라는 지극히 당연한 상식이자 기준인 이 말이 언젠가부터 슬며시 우리 곁에서 사라졌습니다. 그저 말을 잃은 것이 아니라, 말이 담고 있던 의미와 가치를 잃어버렸습니다. 있어야 할 것이 사라진 것도 슬픈데 비운 자리를 대신 채운 것을 보면 더욱더 슬퍼집니다. 이러저러한 까닭으로 매겨지는 '등급'이 대신 자리를 잡았습니다. 사람마저 '쓸모'와 '효용'을 잣대로 '비교'하고 '평가'하는 세상이 되었습니다. 그러다 보니, 살면서 만나는 모든 것을 자연스레 '쓸모'와 '효용'이란 틀로 바라보게 됩니다. 사람을 비롯한 존재하는 것의 '존엄(尊嚴, 비교할 수 없는 무조건인 가치)'이 '쓸모'에 있지 않음을 알기에, '쓸모'를 기준으로 바라보지 않으려고 애를 씁니다. 애를 쓰지만 버거운 싸움입니다.

　　매일 호흡하며 사는 세상은, 거의 모든 영역이 '쓸모'를 기준으로 '평가하고' '평가 받는' 굳건하고 거대한 시스템입니다. 개인마다 정도의 차이는 있지만 태어나 성장하고 사는 곳의 영향을 받지 않을 수 없기에, '천성(天性)'처럼 '쓸모'에 따라 '비교'하고 '평가'하는 '생각의 습관'이 있습니다. 의도적으로 애를 쓰지 않으면, 자신마저 '쓸모'에 따라 평가합니다.

대한민국 헌법 제10조에는 "모든 국민은 인간으로서의 존엄과 가치를 가지며 행복을 추구할 권리를 가진다."라는 말이 있습니다. 이 조항은 대한민국 헌법이 인간의 존엄성을 또렷하게 밝힌 규정입니다. 인간의 고유한 가치를 헌법에 규정함으로써 이를 보호하고자 한 것입니다. 이런 규정이 헌법에 있다는 것이 반가우면서도 슬픕니다. 너무도 당연한 것을 법으로 규정해서 보호해야 할 만큼 현실은 그렇지 못합니다.

우리가 사는 세상은 같은 일을 해도 '쓸모'에 따라 '평가'와 '대우'가 다릅니다. 같은 경기장에서 함께 달리고 움직이지만, 그 움직임(수고, 노동)에 관한 값은 천차만별입니다. 프로 스포츠 세계만큼은 아니어도, 우리가 사는 세상도 마찬가지입니다. 소속에 따라(대기업이냐 중소기업이냐), 신분에 따라(정규직이냐 비정규직이냐), 직급에 따라(임원이냐 사원이냐) 같은 일을 해도 달리 평가되고 다른 보상이 주어지고, 결국에는 다른 사람으로 대우합니다.

영화에만 별점이 주어지는 세상이 아닙니다. 음식이나 식당에도, 서비스나 상품에도, 강연이나 책에도 별점이 주어집니다. 결국에는 사람에게도 별점이 주어집니다. 주어진 별점에 따라 그 사람에 대한 평가가 결정되고, 같은 일을 해도 보상이 달라집니다. '5.0'이란 최고점을 받기 위해 애를 쓰고 감내하며 삽니다.

이런 애씀이 '성장'과 '성숙'으로 이어지고, 다시 정당한 평가로 이어진다면 문제가 되지 않습니다. 같은 일을 해도 같은 결과(성과)를 내는 것은 아니니, 다른 결과(성과)를 정당하게 평가하고 대우하는 것은 모두를 위해 필요합니다. 적당한 것에 머물러 있지 않고 더 나은 것을 만들어 내기 위해 애를 쓰는 것은, 뒤를 따라 걷는 후배들을 위해서도 필요합니다. 지혜로운 농부는 그저 열심히 씨를 뿌리기만 하지는 않습니다. 날씨나 땅을 탓하는 것으로 시간을 보내지도 않습니다. 더 나은 결과를 얻기 위해 지혜로운 방법을 찾아 수고하고 애를 씁니다. 그래서 남들과 다른 결과를 얻습니다.

'쓸모'와 '효용'에 따른 평가가 주는 유익이 있습니다. 그래서 세상은, 모두를 경쟁자로 만들고 평가자로 만드는 위험함이 있지만, 이 '습관'을 버리지 못합니다. 굳이 '쓸모'에 의한 평가 자체를 무시하고 거부할 까닭은 없습니다. 무시하고 거부한다고 해도 무관하게 살지도 못합니다. 하지만 '특정한 쓸모'에 따른 평가를 '자기 존재'에 관한 평가로 삼는 것은 위험합니다. 평가가 좋아도, 평가가 좋지 못해도 마찬가지입니다.

똑같이 공을 치는 '쓸모'를 가진 것이지만, 야구 방망이와 테니스 라켓은 비교의 대상이 아닙니다. 아무리 뛰어난 타격감을 자랑하는 야구 방망이가 있다고 해도 테니스 라켓을 대신할 수는 없습니다. 야구 방망이는 사용하는 선수에 따라 그 무게와 모양이 달라져야 합니다. 그래야 최선의 결과를 얻습니다. 테니스 라켓도 마찬가지입니다. 이처럼 '특정한 쓸모'를 따라 매겨진 순위는 그 나름의 의미와 가치가 있을 뿐 절대의 값은 아닙니다.

프로 스포츠 선수 중에 팀을 옮긴 후에 이전과 다른 결과(성과, 평가)를 만들어 내는 경우가 많습니다. 삶의 다른 영역도 마찬가지입니다. 지금 별점이 충분하지 않다고 의기소침할 까닭도, 지금 별점이 넘친다고 우쭐할 까닭도 없습니다.

'쓸모'가 없어진다고 '나'라는 존재는 사라지지 않습니다. 사라질 수도 있는 것을 따라 사라지지 않을 것을 평가하고 규정해서는 안 됩니다. '쓸모'에 의해 매겨진 평가를 '성장'과 '성숙'을 위한 애씀의 까닭으로 삼는 것은 필요하지만, '자신'을 규정하고 평가하는 잣대로 삼는 것은 위험하고 어리석은 일입니다. '지금, 특정한 쓸모'가 없다고 해도 '나'는 그 무엇과도 비교할 수 없는 소중한 존재입니다. 내가 있어야 나로 말미암는 쓸모도 있습니다.

오늘은, 케냐AA를 마셔야겠습니다. 한 모금 마시면 레몬과 블랙베리의 상큼한 맛과 향을 느낄 수 있는 매력적인 커피. 단맛과 쓴맛이 함께 있어 원두커피를 처음 시작하는 이들에게도 호불호가 없는 케냐AA로 상큼하게 하루를 마십니다.

쓸모는 상황에 따라 변한다.
변하는 것을 기준으로 존재를 규정하는 것은
가장 지독한 어리석음이다.

케냐AA는 아프리카 대륙의 최고봉이자 세계 최대 최고의 휴화산인 킬리만자로에서 생산되는 커피다. 해발 1,500~2,000m의 고지대에서 재배되는 이 커피는 우리가 커피에 대해 기대하는 거의 모든 것을 가진 커피라고 표현할 만큼 멋진 커피다. 묵직한 바디감과 오묘한 과일향, 가볍지 않은 신맛이 특징이다. 유럽이 가장 선호하는 커피다. 케냐와 이웃한 탄자니아에서 생산되는 탄자니아AA는 케냐산과 비슷하지만 좀 더 부드럽다.

CHAPTER 02

바 람 불 어

날

· 더 불 어   함 께

함께하기에 인간으로 삽니다

●

인간은 다른 생명체와 마찬가지로 여러 가지가 충족되어야 살 수 있는 존재입니다. 우선 몸이 건강해야 하고, 신선한 음식을 먹어야 하고, 수분을 충분히 섭취해야 합니다. 휴식과 재충전도 필요합니다. 온종일 소비한 에너지를 충당하기 위해 밤에는 휴식을 취하고 잠을 자야 합니다.

인간은 어떤 존재보다 연약한 몸을 가진 존재입니다. 깃털과 가죽으로 자신을 보호하는 다른 존재와 달리 인간은 옷을 입어 자신을 보호해야 합니다. 거기에 더해 자기 몸을 외부 요인으로부터 보호하고 피할 거처가 있어야 합니다. 이처럼 인간은 먹고 마시는 생리적 욕구와 자연의 위협으로부터 생명을 보호하는 것과 같은 삶의 기본적 필요가 충족되어야 살 수 있는 존재입니다.

그런데 인간은 이런 기본적 필요와 함께 다른 필요도 충족되어야 살 수 있는 존재입니다. 동료 인간으로부터 인정받는 존재론적 필요가 충족되어야 살 수 있습니다.

인간은 어디서든 고독할 수 있습니다. 고독이 고립이 아니라면 고독은 긍정적 경험이자 상황일 수 있습니다. 하지만 도시에서 수백만의 인간들에게 둘러싸여 살면서 느끼는 고독에는 특별한 의미가 있습니다.

흔히 수많은 인간이 무리 지어 살기에 도시의 삶은 고독과 완전히 반대라고 생각합니다. 하지만 단순히 신체적으로 가까이 있는 것만으로는 내적인 고립감을 밀어낼 수 없기에 타인과 어깨를 비비듯 가까이 살면서도 홀로 있다는 기분을 느낄 수 있습니다. 오히려 그런 기분을 더 쉽게 더 깊이 느낍니다.

사전의 정의에 따르면, 고독은 타인과의 교제가 없음에서 비롯되는 불행입니다. 그러니 군중 속에서 고독의 극치에 도달할 수 있다고 해서 이상하게 여길 필요는 없습니다. 고독하다는 것은 어떤 기분일까요? 그건 배고픔 같은 기분입니다. 주위 사람들은 모두 잔칫상에 앉아 있는데 자기만 굶고 있는 것 같은 기분입니다. 창피하고, 경계심이 들고, 시간이 지나면서 이런 기분이 밖으로도 드러나, 고독한 사람은 점점 더 고립되고 점점 더 소외됩니다.

생리적 욕구가 인정이나 자존감보다 더 긴급한 문제라는 건 의심의 여지가 없습니다. 인간은 오랜 기간 영양분을 섭취하지 않고서는 목숨을 유지할 수 없습니다. 하지만 누군가에게 인정받는 삶은 꼭 필요합니다. 독방에 갇힌 사람의 극단적인 사례는 인정과 존중받음, 인간관계의 부재가 얼마나 많은 영향을 주는지 알 수 있습니다. 독방에 갇힌 죄수가 갖는 유일한 관계는 그를 감시하는 간수뿐입니다.

인간관계와 접촉의 부재는 육체적, 심리적으로도 심각하고 부정적인 결과를 가져옵니다. '눈과 눈을 마주치는' 접촉, 즉 아이 콘택트는 인간의 두뇌를 자극해서 이로운 생화학 물질을 분비하는데 이것의 부재는 건강하고 정상적인 삶을 불가능하게 합니다. 음식의 공급은 육체적 허기는 없앨 수 있지만, 내면의 상처를 치료하지는 못합니다.

인생의 여정에서 만나는 두 개의 식탁이 있습니다. 첫 번째 식탁은 풍요로운 음식으로 가득 찬 식탁입니다. 배고픔을 해결해줄 화려한 식탁입니다. 하지만 이 식탁에서 밥을 먹으려면 자신을 굴욕적으로 대하고 모욕을 주던 사람과 함께해야 합니다. 식사할 때 또다시 굴욕적으로 대하고 모욕할 게 분명합니다. 반면 그 옆에는 소박한 음식으로 차려진 식탁이 있습니다. 식사를 함께하는 사람은 위와 정반대의 사람들입니다. 두 개의 식탁 중 하나를 선택한다면 두 번째 식탁을 선택하겠습니다. 밥을 먹는다는 것은 맛있는 음식을 섭취하는 것 이상입니다. 밥을 먹는다는 것은 허기를 해결하는 것 이상입니다. 이것은 우리가 살아가는 방식입니다. 우리는 타인에게 모욕당하는 것을 원치 않습니다. 인정받기 원합니다.

인간다운 삶을 포기한 사람은 인간 이하의 삶을 삽니다. 생리적 욕구를 충족시킬 수는 있어도 인간으로서의 또 다른 욕구, 존중받음에 대한 욕구는 충족시키지 못합니다. 존중받음과 인정받음은 삶의 에너지입니다. 헤겔(Georg Wilhelm Friedrich Hegel, 1770~1831)은 "진정한 인간됨은, 인정받음에 대한 욕구가 생물학적 욕구보다 중요한 부분을 차지하는 순간 시작된다"라고 했습니다. 생존 본능은 모든 생명체에게 공통으로 나타나는 것이지만, 오직 인간만이 동물적 생존을 넘어서는, 인정받음에 대한 욕구를 충족하기 위해 위험을 감수하는 존재입니다.

많은 사람이 '사랑받기'를 원합니다. 자기 자신을 '사랑스러운 존재'로 인식하기 위해 가장 쉽게 떠올리는 방식은 동료 인간으로부터 사랑을 받는 것입니다. 하지만 모든 이에게 언제나 사랑받는 존재가 될 수는 없습니다. 누구나 훌륭한 인생을 살고 싶지만, 문제는 늘 생기게 마련입니다. 사랑받고 싶지만 거절을 당하고, 칭찬받고 싶지만 실망을 줍니다. 우리 마음과 삶에 아름다움만 존재할 수는 없습니다. 누구나 내면과 삶에 문제가 있습니다.

많은 사람이 자신이 누구인지, 자신이 무엇을 원하는지 잘 안다고 생각합니다. 그러나 인간은 스스로 자신을 볼 수 없습니다. 거울을 통해 볼 수 있지만, 거울 속의 나를 보게 될 때 나는 거울에 보이는 얼굴을 봅니다. 그래서 동료 인간에게서 자기 삶의 가치가 무엇인지 듣습니다.

인간다운 삶을 살기 위해서는 나를 잘 아는 사람들이 필요합니다. 따뜻한 격려와 사랑을 통해 가치를 인정해주고 고귀함을 일깨워주는 사람이 없다면, 자존감은 제로에 가까워집니다. 존중과 사랑, 인간적인 대접을 받는 것은 인간에게 필요한 기본 요소입니다. 맑은 공기처럼, 신선한 음식처럼, 깨끗한 물처럼, 충분한 휴식처럼 꼭 있어야 하는 기본 요소입니다.

인간이 인간답게 살아가려면, 서로를 인간으로 대하는 따뜻한 동행이 필요합니다. 인간이기에 서로 인간으로 인정하고, 진실한 관계를 맺고, 격려하고 응원하며, 조언하고 경청하는 동행이 필요합니다. 하지만 불행히도 사회적 위치가 다르고, 겉으로 보이는 모습이 다르고, 사는 공간이 다르면 갈등과 대립의 관계를 이루며 사는 것이 현실입니다. 부자와 가난한 자, 경영자와 노동자, 교수와 학생, 남자와 여자 등 함께 살아가는 동료 인간이면서도 서로 인정하지 않고 갈등과 대립의 관계를 이루며 삽니다. 그러다 보니 세상이 점점 더 정글로 변해갑니다.

이러저러한 임시적이고 상황적인 조건이 아니라 인간이라는 가장 본질적인 조건 때문에 우리는 서로에게 가장 소중한 삶의 동행이 될 수 있습니다. 화려한 식탁이 아니어도 서로 인간으로 마주 앉아 진심의 대화를 나누며 식사할 수 있다면, 그것으로 우리는 서로에게 따뜻한 동행이 될 수 있습니다. 그런 동행이 있다면 행복한 사람이고, 그런 동행이 되고 있다면 따뜻한 사람입니다.

오늘은, 익숙한 곳에서 익숙한 커피와 함께 하루를 정리해야겠습니다. 스타벅스답게 강하게 로스팅된 커피에 짙은 향을 더한 디카페인 헤이즐넛 아메리카노와 함께 하루를 마십니다.

🦋 바람 한 모금

동행을 애써 찾지 마라.
내가 동행이 되면
자연스레 동행을 만난다.

디카페인 커피 | 말 그대로 카페인을 줄인 커피(Decaffeinated Coffee)다. 카페인을 최대한 없애면서 커피의 향과 맛을 유지하려는 시도에서 비롯되었다. 디카페인 커피라고 해서 카페인이 전혀 없는 것은 아니다. 많은 연구결과에서 카페인이 다이어트나 노화 방지, 집중력 향상 등에 효과가 있다고 발표되고 있다. 카페인의 효능은 개인마다 차이가 있다. 아라비카보다 로부스타에 카페인이 많이 들어 있어서 인스턴트커피를 먹으면 좀 더 카페인의 영향을 받을 수 있다.

손을 잡으면 마음까지

누구를 만나든지 가장 먼저 악수를 하는 게 일상입니다. 코로나19 팬데믹으로 악수마저 못하고 가볍게 고개를 숙이거나 주먹 쥐고 살짝 부딪히는 일이 일상화되면서, '손을 잡는다는 것'이 결코 가벼운 게 아니고 때론 애틋한 것일 수 있다는 걸 새삼 깨닫습니다. 목례보다 가볍게 주먹이라도 맞대는 게 더 살가운 것만 봐도 '접촉'의 독특한 매력을 실감합니다.

우리는 많은 인연을 맺고 삽니다. 인간은 사회적 존재이기 때문입니다. 그런데 생각보다 몸의 일부를 접촉하며 사는 인연은 그리 많지 않습니다. '옷깃만 스쳐도 인연'이라는 말을 쉽게 합니다. 물론 국립국어원의 판단에 따르면 '소매가 스친 상황이라 해도 인연'이라는 의미로 써도 된다고 하지만 엄밀히 말하자면 착각이나 착오에서 빚어진 말입니다. 옷소매 끝의 깃을 옷깃으로 착각한 거란 말씀입니다. 옷깃은 저고리나 두루마기의 목에

둘러대어 앞에서 여밀 수 있게 된 부분으로 한복에서는 위 가장자리가 동정으로 싸인 부분입니다. 양복의 경우도 윗옷에서 목 둘레에 길게 덧붙여 있는 부분을 지칭하는 말입니다. 그러니 옷깃을 스치려면 최소한 껴안아야 가능합니다. 제대로 스치려면 세게 껴안아야 합니다. 물론 그렇다고 말의 미묘한 오해를 꼬투리 삼아 시비하자는 건 아닙니다. 다만 우리가 '접촉'의 관계를 너무 가볍게 혹은 무감하게 느끼고 있는 건 아닌가 하는 자성의 의미로, 그리고 인연의 무게가 얼마나 묵직한 것인지를 말한 것입니다. 꼭 연인이 아니더라도 누군가와 '옷깃을 스치는' 인연이 '꼭 껴안아줄 수 있는' 그런 관계일 수 있으면 사는 게 조금은 덜 헛헛할 듯합니다. 그러려면 상대의 소중함을 깨닫고 그것을 잘 간직하며 챙겨야 하는 건 마땅하겠지요.

함께 걸으면서 손을 잡을 수 있는 관계는 연인이나 가족 사이에서나 가능한 몫입니다. 데면데면한 사이는 손을 맞잡는 것도 껄끄럽습니다. 조금 막역한 사이라 하더라도 마주 서서 잠깐 손을 잡는 일은 있어도 나란히 서서 손을 잡고 가는 일은 거의 없습니다. 손을 잡으면 상대의 체온이 내게 전해집니다. 내 손의 온기도 상대에게 전해집니다. 사랑하는 사람과 나란히 걸으면서 손을 잡으면 마주 보고 있을 때보다 때로 더 친밀하고 애틋해집니다. 같은 방향을 보고 있다는 것만으로도 동질감과 동지애를 느끼기 때문입니다. 거기에는 믿음이 담겨 있습니다. 상대의 존재가 내 눈에는 보이지 않지만, 맞잡은 손으로 전해지는 체온의 주인공은 그 순간만큼은 우주에서 유일한 존재입니다. 손을 잡으면 마음까지 함께 느끼고 소중해지는 관계는 그 자체로 축복입니다.

사랑하는 연인이나 가족이 아니고서는 나란히 걸으면 손을 잡는 경우는 없겠지만, 그래도 만나면 반가운 마음에 손부터 내밀며 악수를 청합니다. 손을 맞잡을 수 있다는 것만으로도 서로 간의 친밀함을 확인할 수 있습니다. 오랜만에 만나거나 유난히 정이 더 든 사람이라면 악수한 손을 쉽게 풀지 않고 제법 오래 맞잡고 있는 경우도 있습니다. 손으로 전해지는 상대의 체온만으로도 그 존재가 더 존귀하고 애틋하기 때문입니다.

사람에게만 그러는 것도 아닙니다. '손때' 묻은 물건은 대부분 오래 곁에 두고 자주 써온 것들입니다. 시간이 지나면서 낡아가더라도 오히려 그래서 더 마음이 담기고 애틋해지는 물건은 최신 상품보다 내게는 더 다감하고 소중합니다. 그래서 수명이 거의 다한 걸 알게 되는 순간부터 최대한 조심스럽게 다루고 가능한 한 조금씩만 사용합니다. 조선시대 순조 때 유씨 부인이 〈조침문(弔針文)〉을 지어 부러진 바늘에 대한 제문(祭文)을 삼았던 건 바로 그렇게 오랫동안 함께 했던 사물과의 작별에 대한 애달픔을 담아낸 것입니다. 그건 어쩌면 그 사물에 담긴 내 손때 때문이고, 내 손을 통해 전해진 온기에 대한 자기애(自己愛)의 투사(投射)일 것입니다.

사적 관계뿐 아니라 공적인 관계에서도 우리는 하루에도 수

십 번씩 악수를 나눕니다. 그런데 그 악수가 딱히 기억에 남지 않거나 가슴에 울림이 없는 건 손은 잡았지만 마음은 조금도 잡지 않았기 때문입니다. '손을 잡으면 마음까지'는 '마음이 함께 담긴 손'일 때 비로소 가능합니다. 마음이 없는 손은 그저 수단에 불과합니다. 그런 악수는 단순히 의례의 수단입니다. 손끝만 스쳐도 마음이 설레거나 훈훈해지는 그런 접촉이 아닙니다. 그저 서로 관계의 '접속'을 유지하기 위한 몸짓에 불과합니다.

좋아하는 사이라고 늘 마주 앉아 희희낙락하기만 할 수는 없습니다. 사랑하는 사이라면 잠시라도 상대에게 눈을 떼고 싶지 않은 건 자연스러운 일입니다. 그러나 마주앉아 바라보기만 하면, 한 걸음도 앞으로 나아가지 못합니다. 사랑을 넘어 신뢰와 동지애를 확인하면, 의연하게 앞으로 나아갑니다. 손을 잡으면 마음까지 전달되는 걸 온몸으로 느낄 뿐 아니라 같은 목적지를 향해 함께 격려하고 응원하며 서로 힘을 북돋게 됩니다. 가다 힘들면 잠시 쉬며 마주보고 힘을 얻습니다. 그게 꼭 연인 사이에만 가능한 일은 아닙니다.

그런 사람들을 손으로 꼽을 수만 있어도 삶이 쓰디쓴 바다만은 아닐 겁니다. 내가 누군가에게 그런 사람일 수 있다면, 그것만으로도 이미 내 삶은 의미와 가치를 넉넉하게 품은 것입니다. 그래서 조용히 손을 내밉니다. 때로는 누군가 조용히 내민 손을 맞잡습니다. 그런 관계만 지녀도 산다는 건 꽤 멋진 일이 될 듯합니다.

손을 잡으면 마음까지. 당신께 그 손을 내밀고 싶습니다. 당신과 함께 걸어가야 할 길입니다. 우리는 모두 그렇게 '함께' 손 내미는 사람들이어야 합니다. 그런 손을 당신께 내밉니다.

 햇살 한 컵

끝내 잡지 못해도
맞잡을 손이 있다는 것,
그 손을 느낀다는 것만으로도
삶은 충분히 아름다울 수 있다.

바람이 차면 서로의 거리가 가까워집니다

●

　　바람과 관련된 사자성어 중에 '풍전등화(風前燈火)'란 말이 있습니다. '바람 앞의 등불'이란 뜻으로, 존망(存亡)이 달린 매우 위급한 처지를 비유하는 말입니다. 임진왜란이나 병자호란처럼 큰 전쟁이 일어나 국가가 큰 위기를 만났을 때 '국가의 운명이 풍전등화에 처했다'라고 했습니다. 풍전등촉(風前燈燭), 풍전지등(風前之燈)으로도 씁니다. 사람의 운명이 어찌 될지 모를 정도로 급박한 처지를 등잔불이나 촛불이 바람 앞에서 언제 꺼질지 모르게 껌뻑거리며 나부끼는 모습에 빗대어 표현한 것입니다.

　　바람과 불의 관계가 참 묘합니다. 등불이나 등잔불, 촛불은 바람이 불면 견디다 꺼지고 맙니다. 작은 불은 바람 앞에서 약하디 약합니다. 그런데 불씨를 일으키기 위해서는 바람이 필요합니다. 입으로 직접 바람을 불어넣기도 하지만, 부채나 송풍기를 사용하기도 합니다. 이때 바람은 불을 끄는 것이 아니라 불을 일으킵니다.

이뿐 아닙니다. 큰불은 바람을 만나면 더 큰불이 됩니다. 큰 산을 통째로 삼키는 큰불이 바람을 만나면 누구도 막을 수 없는 화마(火魔)가 됩니다. 엄청난 인명 피해와 재산 피해를 낳는 큰불을 자주 경험합니다. 강원도 지역의 산불, 호주의 산불, 미국 서부지역의 산불, 아마존 지역의 산불이 대표적인 큰불입니다. 큰비가 내려 불의 확산을 막지 않으면, 태우고 싶은 것을 모두 태운 후에야 멈춥니다.

우리 인생을 불에 비유할 때 예고 없이 찾아오는 갑작스러운 바람은 위험이고 위협입니다. 이미 큰불을 이룬 이들이야 바람이 반가울 겁니다. 바람을 만들 수는 없으니 바람의 때를 살피며 삽니다. 위험이 클수록 큰 이익을 얻을 수 있으니 큰바람을 찾아 활용하기 위해 애를 쓰며 삽니다. 하지만 90%가 넘는 대부분의 우리는 바람이 불어오면 걱정이 앞서고 옷깃을 여밀 뿐 할 수 있는 일이 별로 없습니다.

코로나19 팬데믹이란 광풍(狂風)이 지구촌을 강타했습니다. 잠시 불어대다가 그칠 바람인 줄 알았는데, 해를 넘겨 계속 불어 댑니다. 잦아드는 것 같더니 이전보다 더 큰바람이 되었습니다. 큰바람에 작은 불들은 견디다 꺼질 수밖에 없습니다.

안타깝게도 누구를 탓할 겨를도 없이 영세 자영업자들의 폐업이 줄을 잇습니다. 이만큼 버틴 것이 기적처럼 느껴질 정도입니다. 큰바람 앞에서 서로를 지켜내기 위해 노력하는 이들이 적지 않았습니다. 임대료를 받지 않거나 줄여주는 착한 건물주 운동, 자주 찾는 매장에 선결제하는 착한 소비자 운동이 진행되었습니다. 지금도 서로를 향한 노력이 계속되고 있습니다. 혼자 이겨낼 수 없는 바람 앞에서 우리는 서로를 지키는 동료가 되었습니다.

위기 속에서 우리의 마음을 따뜻하게 하는 소식도 있었습니다. 미 프로야구 메이저리그 텍사스의 선수로 활동하던 추신수는 코로나19 팬데믹으로 시즌이 중단되어 생활고에 시달리던 소속팀 마이너리그 선수 190명 전원에게 1인당 1,000달러(약 124만 원)를 기부했습니다. 누구보다 마이너리그 선수들의 아픔을 잘 알고 있는 그입니다. 자신도 7년간 마이너리그에서 '눈물 젖은 빵'을 먹었던 적이 있었습니다. 추신수 선수는 이에 앞서 코로나19 확산으로 어려움을 겪던 대구에도 2억 원을 기부했습니다.

따뜻한 소식만 있으면 좋을 텐데 그렇지 않습니다. 큰바람에 큰 이익을 얻기 위해 애를 쓰는 이들도 있습니다. 임대료를 인상한 건물주 소식도 들려옵니다. 이러저러한 수수료를 높이는 사업주 소식도 들려옵니다. 견디다 못해 떠나면 그 자리를 대신할 사람을 찾으면 그만이니 배려도 양해도 없습니다. 권리금은커

넝 밀린 임대료에 더해서 조기 폐업에 따른 이러저러한 비용까지 물리기도 합니다.

바람 앞에서 저마다 자신의 삶을 살고 있습니다. 어떤 삶이 인간다운 삶일까요? 어떤 삶이 좋은 삶일까요?

타자의 고통이나 행복의 감정을 같이 느끼는 것이 공감 능력입니다. 우리가 서로에게 벗이 되고 동행이 될 수 있는 것은 바로 공감 능력 때문입니다. 공감 능력이 부족하면, 불행히도 우리의 관계는 사람의 관계가 아니라 계약 관계이거나 기계적 관계가 되어 버립니다. 한국계 브라질 신학자 성정모(상파울루 감리교대학교대학원 종교학과 교수, 1957~)는《욕망사회》에서 이렇게 이야기합니다.

인간의 모습을 한 로봇이 있다고 하자. 이 로봇은 사람들을 위로하고 가치를 인정해주는 기능이 있다. 어떤 사람이 인정받음에 있어 부족함을 느낄 때 일정한 비용을 지불하고 이 로봇에게 갈 수 있다. 간단한 지시에 따라 로봇은 웃음을 머금은 채 얼마나 소중한지 말해주고 위로한다. 로봇이 달콤한 음성으로 말을 건넨다 해도 '인정받음'의 욕구가 충족되었다고 느끼지는 못한다. 로봇이 건넨 말은 진심으로 원한 것도, 사랑의 감정으로 건넨 것도 아니라는 걸 알기 때문이다. 로봇에게 부족했던 것은 무엇일까. 그것은 나의 내면을 이해해줄 로봇 내면의 부재, 즉 존재의 부재다. 기계들이 맺는 관계성은 사전에 프로그램화된 시스템에 의해 이루어진다. 복잡한 관계를 맺고 있다 해도 기계는 제작 당시 입력된 시스템에 의해 기능을 발휘한다. 모든 것은 사전에 입력된 정보 시스템에 의해 작동된다. 기계는 자신이 처해 있는 환경에 따라 정보를 변경하고 행동하는 능력을 주는 내면세계가 없다. '자가 학습' 능력이 있도록 설계된 기계라 해도 그렇다. 최첨단 컴퓨터가 자가 학습 과정을 통해 새로운 것을 만들어도 컴퓨터에는 '인격, 감정, 내면세계'가 없다. 주인이 집에 도착했을 때 기쁨을 감추지 못하고 꼬리를 흔들며 달려오는 반려동물의 모습은 익숙하다. 반려동물이 주인을 알아보고 주인 또한 자신을 알아보는 반려동물을 보고 즐거워한다. 반려동물이 보여주는 행복은 기계와 다르다. 동물은 기계와 달리 자신의 내면세계가 있는 존재다.

우리 앞에는 무거운 짐을 짊어진 사람들이 항상 걷고 있습니다. 마음만 먹으면, 우리가 그들의 짐을 짧은 시간이나마 대신 짊어질 수 있습니다. 그렇게 짧은 휴식을 제공하는 것으로도 아픔을 치유하고, 형제애를 향한 길을 열 수 있습니다. 작은 행동이지만, 큰바람을 함께 이겨낼 버팀목이 됩니다. 우리의 삶을 풍요롭게 하는 것은 자신과 서로를 향한 참된 공감과 공감을 바탕으로 한 배려와 연대의 실천입니다.

큰바람을 홀로 이겨낼 사람은 많지 않습니다. 함께할 누군가 가 없으면 견디다 쓰러지고 맙니다. 코로나19 팬데믹이란 광풍 속에서 우리는 함께함의 소중함을 배우고 있습니다. 타자의 고통과 불행을 공감하는 것에서 인간다운 삶이 시작됩니다. 시작점이 중요하지만, 시작점에 머물러 있기만 해서는 안 됩니다. 그고통과 불행을 줄일 수 있도록 행동해야 합니다. 작은 행동이어도 괜찮습니다. 불씨가 꺼지지 않도록, 작은 등불이 꺼지지 않도록 잠시라도 바람을 막아줄 수 있으면 됩니다. 내 불을 키우겠다고 남의 불씨를 훔치는 사람을 경계하고 드러내는 것도 중요합니다. 함께하지만 함께 사는 길이 아닌 자기만의 길을 찾는 이들이 누구인지 가려내는 것도 필요합니다.

바람이 불지 않았다면, 참으로 함께하는 이가 누구인지 모르고 살 뻔했습니다. 바람이 차가워질수록 사람의 온기가 소중해집니다. 서로에게 따뜻한 기운이 되어주는 우리였으면 합니다.

오늘은, 따뜻함을 가득 품은 캔 커피 하나를 벗에게 건네고 함께 하루를 마셔야겠습니다.

위기 속에서 타인을 향한 모습이
진짜 자기 모습이다.
이전에 무엇을 주장했든지,
무엇을 믿었든지,
무엇을 선호했든지 상관없다.
진짜 모습은 위기 속에서 드러난다.

바람이 불어서 우리는 함께입니다

●

　　바람이 잔뜩 화가 치민 모양입니다. 집 맞은편 산의 숲이 요동칩니다. 14층 아파트 창에서 보면 비슷한 높이의 나무들이 이리저리 바람에 몸을 맡기고 있습니다. 작은 나무가 아닌데도 크게 흔들리는 걸 보면 바람이 여간 거센 게 아닌 듯합니다. 그러나 그 나무의 흔들림을 보며 바람의 세기를 짐작할 뿐 바람을 전혀 느끼지 못하고 있습니다. 집 안에 안전하게 '차단'되어 있기 때문입니다.

　　며칠 전에도 바람이 거세게 불었습니다. 그날 산에 올랐는데 뜻밖에도 숲 안에서는 바람을 느끼지 못했습니다. 고개 들어 나무 꼭대기를 보니 크게 흔들리고 있었는데도 말입니다. 나무들이 사나운 태풍이 아니고서는 어지간한 바람에는 꺾이거나 쓰러지지 않는 건 흔들리는 잎과 가지를 줄기가 버텨주고 줄기는 땅속 깊이 내린 뿌리가 잡아주기 때문입니다. 숲이 흔들려도 나무는 버티고 나무가 흔들려도 숲은 의연하게 견뎌냅니다. 그리고 바람이 지나고 나면 서로 애썼다고 도닥입니다.

　우리의 삶이라고 크게 다르겠습니까? 어느 하루 바람이 전혀 없는 날은 거의 없습니다. 이런저런 바람이 붑니다. 그게 산들바람일 때는 즐거운 리듬이지만 거센 바람일 때는 삶이 참 맵고 힘겹습니다. 그래도 견뎌내면 그 바람은 언젠가는 잦아들거나 사라집니다. 그렇게 우리는 한 뼘씩 자라납니다. 내 삶의 잎과 가지, 줄기와 뿌리도 그렇게 서로를 버텨주고 잡아주는 것이겠지요.

　숲은 나무들이 서로 어울려 있는 공동체입니다. 한 그루 나무로는 거센 바람 견뎌내기 어려울 때도 많지만 숲의 나무들은 서로 지탱해주고 막아주며 묵묵히 그 자리를 지켜냅니다. 서로를 막아주고 지켜주며 함께 거센 바람 이겨냅니다.
　숲의 나무들이 어찌 모두 다 만족스러울 수 있겠습니까. 마음껏 옆으로 가지와 잎을 내고 하늘 위로 마냥 솟아오르고 싶겠지요. 그런데 옆의 나무들이 그 자리를 내주지 않으니 야속할 듯합니다. 그러나 자세히 살펴보면, 옆의 나무들이 자라날 수 있을 만큼의 공간을 서로 허락하면서 조화롭게 자신에게 허락된 만큼의 공간 안에서 겸손하게 그러나 당당하게 자랍니다. 그런 공존의 지혜와 양보가 없다면 숲을 이루지 못합니다.

바람 불어 좋은 날

088

어쩌면 바람은 옆에 있지만 손을 맞잡을 수 없는 나무들에 서로의 몸을 조금씩이라도 비빌 기회를 주는 것인지도 모르겠습니다. 바람의 도움이 없다면 서로 스칠 일도 없을 나무들이 이리저리 흔들리면서 서로 스치고 안부를 묻고 전하며 서로를 지탱해줍니다. 들판에 홀로 서 있는 거대한 나무는 경험하지 못할 돈독한 유대가 마음껏 제 몫 다 키워내지 못하는 나무의 안타까움을 채우고도 남는 듯합니다.

삶에서의 바람도 어쩌면 그런 기회를 주기 위해 찾아오는 것인지도 모르겠습니다. 힘든 일 없으면 나 혼자 잘난 줄 알고 오만하고 교만하게 살아가기 쉽지만, 실상은 조금만 흔들려도 누군가를 필요로 하게 됩니다. 가장 든든한 우군은 가족입니다. 가족은, 특히 부모는 잘잘못을 따지기 전에 자식이 다친 데는 없는지 아프지는 않은지를 먼저 물어봅니다. 평소에는 그런 상투적인 물음이 귀찮았지만 내가 힘들 때는 그 말 한마디만으로도 큰 위로가 됩니다.

가슴을 열고 속을 내주는 친구도 좋은 울타리입니다. 때론 동료가 그런 역할을 해주기도 합니다. 인간은 사회적 동물이라는 말이 진부한 말이 아님을 그제야 깨닫습니다. 그러니 삶의 바람은 누군가의 존재를 깨닫게 해주는 자극인지도 모릅니다.

누군가를 사랑한다는 건 그의 모든 것을 받아들이는 것입니다. 좋은 점만 보이는 건 잠깐 눈에 콩깍지가 씌었을 때뿐입니다. 그건 맹목이지 사랑은 아닙니다. 허물조차 넉넉하게 품을 수 있을 때 비로소 사랑이 가능해집니다. 어찌 허물이 없을 수 있을 까만 사랑하는 사람에게는 좋아하고 사랑하기에도 인생이 짧다고 느끼는 까닭입니다.

작은 일에도 마음의 상처를 받을 때 누군가를 사랑하는 것이라는 말도 있는 것처럼 사랑하는 사람에게 받은 작은 상처는 뜻밖에도 깊숙하게 박힐 수 있습니다. 그러나 사랑이 깊어지면 서로 상처를 보듬고 도닥이며 격려하고 응원하는 단계가 됩니다. 그것이 바로 사랑의 진화입니다. 서로에게 완전히 기댈 수 있는 사랑이 됩니다. 어떤 바람이 불어와도 마지막까지 지켜주고 바람을 막아주는 사람이 됩니다. 그게 없으면 사랑은 금세 시들어버립니다.

모든 바람이 다 맵고 혹독한 것은 아닙니다. 꽃가루를 옮겨주고 씨앗을 퍼뜨려주기도 합니다. 바람이 없다면 숲이 만들어질수 없는 건 그 때문입니다. 지나치거나 감당하기 어려울 만큼 한꺼번에 몰아치면 꺾이고 휠 수 있지만, 모든 바람이 그런 것도 아닙니다. 이겨내야 할 바람이 있고 누려야 하는 바람이 있습니다. 삶에서도 크게 다르지 않은 듯합니다. 맵고 힘든 바람도 함께 부대끼며 버티면 이겨낼 수 있습니다. 숲은 그것을 우리에게 고스란히 보여줍니다.

바람은 눈에 보이지 않습니다. 나뭇잎이 흔들리는 것을 보고 바람을 읽습니다. 보이지 않지만 느낄 수 있는 것들이 많습니다.

그런데도 우리는 자꾸만 눈에 보이는 것에 매달립니다. 그러면서 그저 나만 잘살겠다고, 내 것만 챙기겠다고 힘을 씁니다. 내 것만 보이니 다른 사람은 보이지 않습니다. 그러다 호된 바람 만나면 쉽게 무너지고 꺾입니다.

보이지 않는 것을 읽어내는 게 이성의 힘입니다. 그걸 느껴보는 게 감성의 힘입니다. 콘텐츠도 영성도 눈에 보이는 게 아닙니다. 눈에 보이지 않는 것의 가치를 읽어낼 수만 있어도 그걸 키울 수 있습니다. 그것만 조금 깨달아도 이렇게 이기적으로만 살지 않을 것이며, 물질만능주의나 오로지 돈만 섬기는 배금주의에 빠지지 않을 수 있겠지요.

바람이 다시 거세게 불 모양입니다.
잠시 숲에 다녀와야겠습니다.

 햇살 한 컵

크고 작은 바람 한 번 맞지 못한 인생이라면
거기에서 무슨 꽃이 피어나겠는가!

어제와 다른 오늘을 웃으며 만납니다

●

코로나19 팬데믹 이후 일상의 모습이 많이 달라졌습니다. 모두가 동시에 "멈춤" 표지판 앞에 머물러 선 듯합니다. 일상을 이루는 요소는 그대로인데, 일상의 속도는 달라졌습니다.

하루의 모습이 참 다르게 느껴집니다. 카페에 앉아 커피 한 잔 마시는 것도 예전과 다릅니다. 사람들과의 거리는 멀어졌고, 커피도 천천히 음미하며 즐기지 못합니다. 이제는 피부처럼 느껴지는 마스크를 벗은 시간이 길어지면 불안해집니다. 특별한 까닭이 없으면 사용하지 않던 '마스크'였는데 이제는 필수품이 되었습니다.

예전과 달라진 일상, 사람들 사이 거리는 멀어지고 속도는 느려졌습니다. 거리가 멀어지고 속도가 느려진 일상은 단조롭게 느껴집니다. '일상성(日常性, Allteglichkeit)'이란 말이 있듯이 일상은 그저 빈둥빈둥 평균적으로 반복되는 것 같은 특성이 있습니다. 하지만 지금은 영화 속 장면처럼 단조로운 일상이 무한 반복되는 것 같습니다.

스릴러 영화 장르를 확립한 영국 출생의 미국 영화감독 앨프레드 히치콕(Alfred Hichcock, 1899~1980)은 영화란 '지루한 장면들을 잘라낸 인생'이라고 했습니다. 추격전, 첫 키스, 흥미로운 볼거리, 훌륭한 대화 같은 것들을 보고 싶어 하지, 주인공이 산책하거나 차량 정체에 묶여 있거나 이를 닦는 모습을 보고 싶어하는 사람은 없다고 했습니다. 적어도 좋은 배경 음악 없이는 보고 싶어 하지 않는다고 했습니다.

히치콕의 이야기는 진실이자 진리에 가깝습니다. 우리는 지루한 장면들을 잘라낸 삶을 원하는 경향이 있습니다. 역동적인 삶을 동경합니다. 히치콕의 이야기는 코로나바이러스와 함께하는 지금도 여전히 유효합니다. 영화를 만든다면 히치콕의 조언을 따라야 합니다. 하지만 일상에서는 달리 적용해야 할 것 같습니다. 지루하게 여겨지는 평범한 삶의 장면들이 그립습니다. 특별한 무엇이 아니라 평범한 것들이 그리워집니다. 과하면 짜증을 불러일으키는 요인이었던 사람들의 수다가 듣고 싶습니다. 깔깔거리는 웃음소리가 듣고 싶습니다.

예전 일상을 떠나 낯선 여행지를 방문하면, 무엇보다 걷기에 좋은 아름다운 길을 먼저 찾았습니다. 낯선 길을 따라 걷다 보면 스치는 풍경이 사진처럼 기억에 담기고, 마음에는 흐뭇한 미소가 남았습니다. 그렇게 걸었던 길을 반드시 방향을 돌이켜 걸었습니다. 걸었던 길을 방향을 돌이켜 걷는 것은 오래된 습관입니다. 같은 길이지만, 방향을 돌이켜 걸으면 다른 길을 만납니다. 시선이 달라지면 새로운 길을 만납니다.

체코 프라하를 방문했을 때 같은 거리와 골목을 여러 번 걸었습니다. 가을 태양이 좋았던 시간에 방향을 달리해서 걸었습니다. 짙은 노을이 아름다웠던 시간이 지나고 크고 작은 조명이 켜진 거리와 골목을 방향을 달리해서 걸었습니다. 그렇게 반복해서 걸었지만, 단 한 번도 같은 풍경을 만나지 않았습니다. 반복의 횟수가 늘어날수록 그곳이 익숙해졌지만, 설렘과 새로움이 사라지지 않았습니다.

여행이 자유롭지 못한 지금, 여행지가 아니라 일상의 공간에서 낯선 새로운 길을 찾아서 걷습니다. 사람들의 왕래가 줄어든 공간은 예전과 다른 낯선 풍경입니다. 거리를 채우던 사람들에 가려 보이지 않던 풍경이 눈에 들어옵니다.

속도가 느려진 세상에서 만나는 오늘은, 어제와 비슷하게 보여도 같은 모습이 아닙니다. 익숙하지만 낯선 새로운 오늘입니다. 비슷한 장면을 만나지만, 같은 장면을 만나지는 않습니다. '틀린 그림 찾기' 하듯 바라보면 같은 그림을 찾을 수 없는 낯설고 새로운 풍경을 만납니다. 늘 같은 몸짓으로 하나의 표정만 짓고 있는 마네킹도 어제와 다른 모습으로 만납니다. 어제와 살짝 달라진 태양 빛의 각도 때문일까요. 나를 보는 눈빛이 더 깊어졌습니다. 같은 자리에 앉아 같은 커피를 마시는 것 같지만, 어제 앉았던 그 자리는 어제의 시간과 함께 이별했고 어제 마셨던 그 커피는 어제의 시간과 함께 추억이 되었습니다. 어제와 비슷한 모습의 오늘이지만, 오늘의 나는 오늘의 자리에서 오늘의 커피를 마십니다.

우리의 일상은 여행과 다르지 않습니다. 날마다 다른 하루를 여행하며 삽니다. 같은 하루를 반복해서 만나고 싶어도 그럴 수 없습니다. 낯선 여행지에서 낯선 하루를 보내듯, 우리는 날마다 낯선 오늘을 삽니다. 비슷한 장면을 만나지만 똑같은 장면을 만날 수는 없는, 정확히 어떤 장면을 만나게 될지 미리 알 수 없는 낯선 오늘을 삽니다.

어제와 같은 오늘은 없습니다. 매일 새로운 오늘을 만납니다. 그러니 새로운 하루를 새로운 기대를 품고 만나야 합니다. 새로운 오늘을 어제의 낡은 염려와 무거운 짜증으로 만날 필요는 없습니다. 어제보다 하루 더 나이를 먹었지만, 더 새로운 오늘이길 기대해야 합니다.

우리는 일상의 삶을 살고 있습니다. 결혼 생활이 쉽지 않은 삶, 생각한 대로 혹은 바랐던 대로 살지 못하는 삶, 더 나아지고 싶지만 어디에서 시작해야 할지 모르겠고, 피곤하고 몸은 아프고, 인생이 작게만 보이고, 의심이 들고, 허무와 싸워야 하고, 사랑하는 이들을 걱정하고, 이웃에게 다가가거나 가까이에 있는 이들을 사랑하기 위해 애쓰고, 기다리는 삶을 살고 있다는 것을 떠올리며 마음을 가다듬어야 합니다.

나를 위한 오늘이 매일 나를 찾아옵니다. 나를 찾아온 오늘을 환한 웃음으로 환영했으면 합니다. 새로운 아침을 맞이하는 환한 웃음은 일상의 무게를 덜어내는 마법이 되기도 합니다. 일상에 대한 느낌이 어떠하듯 어제와 다른 새로운 오늘이기에 낯선 여행지에서 만나는 하루처럼 설렘으로 만났으면 합니다. 오늘 찾아온 새로운 하루 속으로 함께 여행하지 않으실래요? 익숙한 것 사이에서 새로운 것을 발견하는 하루가 될 것입니다.

오늘은, 상큼한 산미를 자랑하는 코스타리카 따라주를 마십니다. 그 어떤 맛과도 섞이지 않은 듯 맑고 깔끔한 산미와 은은한 단맛. 여름 더위마저 잊게 하는 코스타라카 따라주 아이스 아메리카노와 함께 하루를 마십니다.

🦋 바람한모금

반복되는 것은 시간이 아니다.
공간도 아니다.
새로운 날을 새롭게 만나려면
나의 시선을 새롭게 해야 한다.

 코스타리카는 법적으로 아라비카종만을 재배할 수 있고, 커피 고유의 품질을 최대로 유지할 수 있는 습식 가공법을 사용해 세계적으로 완벽한 커피를 생산한다. 무기질이 풍부한 화산 토양과 온화한 기후 덕에 커피 생산국 중에서도 면적당 커피 생산량이 가장 높고 커피의 품질 또한 우수하다.

먹는다는 것의 신성함

●

　어떤 이가 그러더군요. 세상에서 가장 견디기 어려운 일 중 하나가 혼자 밥을 먹어야 하는 것이라고. 아마 공감할 이도 제법 많을 겁니다. 태어나서 처음 입에 댄 게 엄마의 젖입니다. 먹는 건 혼자이지만 엄마의 품에 안겨 엄마의 존재를 느끼면서 먹습니다. 대부분 누군가와 함께 '밥'을 먹습니다. 같은 음식도 여러 사람과 함께 어울려 먹으면 더 맛있게 느껴집니다.

　그래도 어쩔 수 없이 혼자 밥을 먹어야 하는 경우가 있습니다. 그럴 때 예전에는 신문을 보면서 먹었고, 요즘은 거의 대다수가 스마트폰을 보면서 먹습니다. 얼핏 보면 두 가지 일을 한꺼번에 하는 것 같지만, 사실은 어느 하나에도 집중하지 못하는 것이기도 합니다. 마주 앉은 사람이 있으면 도란도란 이야기를 나누며 즐겁게 먹을 수 있는데 혼자 먹는다는 게 여간 어색한 일이 아닙니다. 어쩌다 밖에서 식사해야 할 때 혼자 식당에 들어가는 것 자체가 부담스럽습니다.

그런데 요즘은 혼자 밥을 먹는 경우가 더 많다고 합니다. 누군가와 관계를 맺고 그 관계를 유지하고 나누며 살아가는데 그 누군가 함께 식당에 가면 아직 더치페이가 어색한 사람들로서는 셈속을 따지는 걸 불편해 하는 사람들도 제법 많습니다. 게다가 아주 친밀하지 않으면, 차라리 혼자 먹는 게 더 낫다 싶은 상대도 많습니다. 메뉴를 상대에 맞춰 정하는 것도 불편하다고 여기는 이도 있습니다. 그러나 요즘의 '혼밥'은 경제적 이유 때문인 경우가 가장 많다고 합니다. 식당에서도 그렇지만, 혼자 사는 사람이 집에서 혼자 밥을 먹어야 하는 경우가 많기 때문입니다. 2020년 전 세계를 강타한 코로나19 팬데믹은 혼밥의 사유를 더 크게 만들었습니다. 어쩔 수 없이 혼밥해야 하는 경우가 늘었습니다. 어쩌면 그래서 혼밥을 다시 생각해야 할 때가 되었는지도 모르겠습니다.

누군가와 함께 밥을 먹으면서 오로지 음식에만 몰두할 수는 없습니다. 그건 상대에 대한 예의도 아니거니와 그럴 거라면 굳이 함께 식사해야 할 이유도 없습니다. 그런데 어느 날 스마트폰을 꺼내놓지 않고 혼자 밥을 먹었습니다. 시간도 촉박할 일이 없어 천천히 먹었습니다. 모든 감각을 혀에만 집중했습니다. 예전에는 비빔밥을 먹으면 그저 양념 맛에 미각이 반응했고, 다른 것들은 대충 영양소의 균형이 좋다는 정도로만 여겼습니다. 그런데 모든 감각을 깨워 천천히 먹으니 각각의 식자재들 본연의 맛을 다 느낄 수 있었습니다. 식감과 맛을 함께 느끼면서 먹는 맛은 달랐습니다. 그건 단순히 음식이 주는 맛과는 달랐습니다. 더나아가 각각의 식재료를 생산한 사람들의 손길도 느껴볼 수 있었습니다. 그들이 이렇게 잘 길러낸 곡식과 채소들, 그리고 달걀과 양념들이 제값을 받아서 농부들이 만족했는지도 생각하며 그들에 대한 고마움을 새삼 느꼈습니다.

갈수록 혼밥의 삶이 늘어납니다. 식당에도 혼밥족을 위한 테이블을 따로 마련하는 추세입니다. 예전에는 보지 못하던 풍경입니다. 사람은 함께 어울리며 사회적 삶을 사는 존재입니다. 음식은 사회적 삶과 관계 맺기에 아주 중요한 역할을 하고 의미를 깊게 해줍니다. 그게 음식이 갖는 특별한 의미이기도 합니다. 그런 점을 고려하면 혼밥은 서글픕니다. 하지만 달리 생각해볼수 있는 일이기도 합니다. 음식을 천천히 음미하면서 모든 감각을 깨우고 그 손길을 느낄 기회가 되기도 합니다. 물론 쫓기는 삶 때문에 우겨넣는 음식으로서의 혼밥일 때는 그런 기회조차 사치이기는 하지만 말입니다.

소설가 김훈(1948~)은 그의 산문집 《밥벌이의 지겨움》에서 "밥은 누구나 다 먹어야하는 것이지만, 제 목구멍으로 넘어가는 밥만이 각자의 고달픈 배를 채워줄 수 있다"라며 '밥'에 대한 정의를 내렸습니다. 이런 말도 했습니다. "그러나 우리들의 목표는 끝끝내 밥벌이가 아니다. 이걸 잊지 말고 또다시 각자 핸드폰을 차고 거리로 나가서 꾸역꾸역 밥을 먹자. 무슨 도리가 있겠는

가. 아무 도리 없다." '밥벌이'라는 말 자체가 이미 그런 함의를 담고 있는 것을 작가는 새삼 꺼내 보이면서 역설(逆說)로 현실을 깨웁니다. 그는 신성한 척 가면을 쓰고 있는 밥벌이의 가치를 철저하게 내던졌습니다. 그러나 그 밥벌이조차 얻을 기회가 없거나 지금의 밥벌이가 유지될 보장이 없으면 누구나 불안해집니다. 혼밥을 스스로 원해서 하는 경우는 그리 많지 않을 겁니다. 밥벌이가 시원치 않으니 어쩔 수 없이 강요된 선택인 경우가 더 많을 겁니다. 그래서 아프고 서럽습니다.

그런데 '내 목구멍으로 넘어가는' 밥이 아니라 '내 혀가 감각하는' 밥일 때 혼밥은 그저 서럽기만 한 게 아닙니다. 버나드 쇼(George Bernard Shaw, 1856~1950)는 "음식에 대한 사랑보다 더 진실한 사랑은 없다."라고 했습니다. 뜨거운 사랑도 식어가지만, 음식에 대한 사랑은 지치지 않습니다. 음식에 대한 사랑은 결국 나 자신에 대한 사랑입니다. 오로지 나 자신만을 위한 혼밥은 그것을 새삼 느끼게 해줍니다. 천천히 음식을 음미하면서 각각의 식재료와 그것들을 만들어낸 이들의 손길을 느끼면 자연스럽게 우리가 모두 연결되어 있음을 알 수 있습니다. 비싸고 맛난 음식, 유명한 식당이나 요리사의 음식에만 환호할 게 아니라 내가 먹는 조촐하고 소박한 식탁에서 느낄 수 있는 경험입니다.

이제는 더 이상 가난과 굶주림의 공포에 떨지는 않습니다. 그러나 우리 부모님 세대만 해도 가장 큰 두려움은 바로 그것이었습니다. 그래서 음식에 대해 조금도 낭비하는 것을 용납하지 않았습니다. 어느 집의 수챗구멍에 밥알이 보이면 나쁜 평을 받았던 것도 음식의 소중함이 절실했던 세대였기 때문입니다. 그런 교육을 받고 자라서인지 지금도 음식을 남기는 게 늘 마음에 걸립니다. 이제는 굶는 걱정이 아니라 과식해서 비만이 되는 걱정, 남아서 버리는 음식 쓰레기 걱정에 골머리를 앓습니다. 그런 점을 비춰보면 지금 좋은 음식에 대한 탐닉이 사회 역사적 발전이라는 점도 있지만 현실의 막막함 때문에 먹는 즐거움 말고는 충족시킬 욕망이 없다는 점에서 슬픈 일입니다.

먹방이 쏟아지고 온갖 광고들이 난무하지만, 정작 우리가 왜 이처럼 음식에 매달리고 있는지, 왜 혼밥이 일상이 되고 있는지, 그것들이 사회적 모순에서 비롯된 것이라면 어떻게 극복할 수 있는지, 우리는 이것을 통해 무엇을 성찰해야 하는지 등에 대한 프로그램이 전혀 없다는 건 아쉬운 일입니다. 밥벌이가 신성한 것은 돈 많이 벌어서 맛나고 좋은 음식 탐닉하기 위해서가 아니라 내가 일을 통해 삶을 실현하고 가족을 부양할 수 있는 중요한 일이기 때문입니다.

먹는 일은 중요하고 신성합니다. 먹기 위해 사는 것이 아니라 살기 위해 먹는 것이지만, 먹는 것과 먹는 일에서 얻는 행복을 가볍게 무시할 것도 아닙니다. 늘 반복되는 세 끼 식사에서도 맛과 영양뿐 아니라 많은 것을 성찰하고 깨달으며 의미를 발견할 수 있다는 게 조금은 고맙기도 합니다. 위대한 사상가는 좁쌀 하나에도 우주가 담겨있다 했습니다. 쌀 한 톨에는 더 많은 것이 담겨있을 수 있겠지요. 그걸 느낄 수만 있어도 먹는 일이 얼마나 위대하고 신성한 일인지 새삼 느낄 수 있을 듯합니다.

인간은 단순히 생존을 위해서만 먹는 게 아니라 즐거움을 충족시키기 위해 먹습니다. 인간의 진화는 그것과 밀접하게 관련되어 있습니다. 그러므로 음식과 식사의 의미를 되새기면서 인간 존재 가치의 퇴행이 아니라 바람직한 진화의 방향으로 나아갈 수 있는 계기를 마련하면 더 좋겠지요. 오늘, 어쩔 수 없이 혼밥해야 하는 상황을 맞았습니다. 하지만 어색해하거나 불편해하지 않으려 합니다. 최대한 내 혀의 감각에 충실하면서, 모든 음식의 재료들을 음미하는 성찬(盛饌)의 시간을 만끽해볼 생각입니다. 마치 나와 음식이 하나 되는 경지에 돌입한 것처럼.

 햇살 한 컵

목구멍에 쑤셔 넣는 행위가 아니라
쌀 한 톨에서 우주를 음미할 수 있는
모든 감각을 소환하는 것일 때
먹는 일은 신성하다.
혼밥은 그 기회를 주는
초대장이어야 한다.

연결이 아니라 함께하는
벗이어서 고맙습니다

●

　　가상세계와 현실세계가 한 덩어리 일상이 되고, 디지
털 원주민(Digital Native)이 주류가 된 세상. 변화된 흐름을 따라
많은 것이 변했고, 변하고 있습니다. 공간과 시간에 관한 개념과
감성이 달라지면서 관계를 맺고 소통하는 방식도 참 많이 변했
고, 변하고 있습니다. 과거였다면 알지도 못했을 사람들과 실시
간으로 관계를 맺고 소통합니다.

　　디지털 세계의 주민으로서 우리는 언제 어디서든 늘 연결되
어 있습니다. 모두가 친구이고 지구 반대편에 있는 사람과도 이
웃을 맺습니다. 하지만 동시에 우리는 언제 어디서든 함께 있지
만 따로따로인 상황에 익숙합니다. 가족이 모여 식사하며 대화
를 나누던 풍경은 이제는 각자의 디지털 세상에 접속하는 풍경
으로 대체되었습니다. 함께 있지만 대화는 없습니다. 함께 있지

만 연결되지 않은 낯선 사람으로 서로를 만납니다. 각자 자기 몸의 확장인 디지털 기기에 몰입합니다. 각자 자기의 디지털 세계에 집중합니다. 따로 있지만 연결된 사람과 세계에 집중합니다. 이제는 이런 모습이 낯설지 않습니다. 직장인들의 점심시간, 학생들의 수업, 연인들의 데이트에서도 흔히 만나는 일상입니다.

함께 있지만 대화하지 않고, 끊임없이 소통하지만 함께 있지는 않은 사람들. 함께 있지만 따로따로의 사람들. 디지털 이주민(Digital Immigrant)에게는 참 낯선 풍경입니다. 공간의 한계를 넘고 시간을 아끼기 위해 온라인을 이용한다고 하지만, 서로 어울리는 시간은 적어지고 테크놀로지와 보내는 시간은 많아졌습니다. 이러한 모습을 MIT 사회심리학 교수인 셰리 터클(Sheey Turkle, 1948~)은 그의 책《외로워지는 사람들》에서 'ALONE TOGETHER(다 함께 홀로)'라고 표현했습니다.

어느 때보다 우리는 타인과 가까워진 세상에서 삽니다. 하지만 반대로 마음의 거리는 멀어진 세상에서 삽니다. 같은 공간에서 자주 마주치고 함께하는 시간이 많은 관계이지만 터놓고 대화를 나누지는 못합니다. 예전보다 훨씬 더 많은 이들과 연결되어 있지만, 속마음을 드러내어 나눌 벗은 없습니다.

용기를 내면 누구에게나 고민을 털어놓을 수 있지만 누구도 진심으로 고민을 들어주지 않음을 느낍니다. 힘들게 마음을 열었는데 더 큰 상처를 받을 때가 있습니다. 그저 말 한마디 했는데 심한 모욕을 당하기도 합니다. 그래서 사람들은 함께 있으면서도 홀로 떨어진 섬처럼 고립된 자기를 느끼며 삽니다.

윈스턴 처칠(Winston Churchill, 1874~1965)은 "우리가 건물을 지은 다음에는 건물이 우리를 짓는다(We shape our buildings, then they shape us)."라고 했습니다. 우리는 우리를 둘러싸고 있는 환경의 영향을 받습니다. 셰리 터클은 윈스턴 처칠의 말을 빌려와 "우리가 테크놀로지를 만들면 그다음에 테크놀로지가 우리를 만든다."라고 했습니다. 우리의 필요 때문에 만들어진 테크놀로지이고, 우리의 필요 때문에 사용하는 테크놀로지인데, 바로 그 테크놀로지가 우리를 참 많이 바꾸어 놓았습니다.

페이스북과 인스타그램 연결은 늘어나는데 속마음을 털어놓을 벗은 줄어들었습니다. 문자와 이메일을 사용할수록 대화는 서툴러졌습니다. 이제는 벗어나려고 해도 벗어날 수 없는 디지털 네트워크는 우리의 인간관계를 단순화시켜버렸습니다.

이러저러한 이유로 피하고 싶은 상대는 대화하지 않으면서도 의사를 전달할 수 있습니다. 이메일과 문자를 사용하면 됩니다. 얼굴을 보지 않아도, 목소리를 듣지 않아도 됩니다. 이렇게 우리는 서로에게서 표정과 목소리를 잃어버렸습니다. 연결되어 있지만, 함께하지는 않습니다.

연결된 사람이 아니라 함께하는 사람이 필요하고 소중합니다. 가상의 손이 아니라 실제의 손을 잡을 수 있는 사람, 이모티콘으로 감정을 나눌 사람이 아니라 표정으로 감정을 나눌 사람을 만나야 합니다. 그래야 외딴섬으로 살지 않습니다.

누군가 이렇게 이야기했습니다. "당신과 함께하는 동안 그 사람이 스마트폰을 한 번도 쳐다보지 않았다면, 그 사람은 온전히 당신에게 몰입한 겁니다." 맞는 말입니다. 함께한다는 것은 오롯이 몰입하는 겁니다.

우리에게는 연결된 벗이 아니라 함께하는 벗이 필요합니다. '서로에게 몰입하는 함께하는 벗'이 있어야 '다 함께 외로워지는 시대'를 거슬러 사람답게 살 수 있습니다. 나와 함께 있을 때 스마트폰을 내려놓고 나에게만 집중하는 당신이 있어서 참 고맙습니다. 나도 그렇게 하겠습니다.

오늘은, 과테말라 안티구아를 마십니다. 잦은 화산 활동으로 사람이 살기에는 적합하지 않은 환경이지만, 화산 폭발에서 나온 질소를 흡수해 스모크 향 짙은 최고의 커피가 되었습니다. 오롯이 집중해야 할 귀한 벗과 가장 잘 어울리는 스모크 향 짙은 커피와 함께 하루를 마십니다.

꽃 바람 한 모금

함께하는 방식이
관계의 농도를 결정한다.

과테말라 안티구아는 스모크 커피의 대명사다. 커피가 성장하기에 가장 좋은 환경, 비옥한 화산토, 일정한 일교차, 낮은 습도에 더하여 화산 폭발에서 나온 질소를 흡수해 연기가 타는 듯한 향을 가진 스모크 커피가 만들어진다.

홀로인 사람은 없습니다

●

　본디 사람은 더불어 사는 존재입니다. 그래서 '사람'을 뜻하는 한자어 '인(人)'도 '두 사람이 기대어 선 모습'을 담고 있습니다(두 다리로 걷는 형상이라는 해석도 있음). 하지만 불행히도 지금 우리가 만나는 세상은 본래의 모습과는 차이가 큽니다. 조선 시대 대기근이나 전쟁 등 어려운 상황을 만났을 때 백성들이 스스로 알아서 살아남아야 한다는 절박함에서 유래된 '각자도생(各自圖生)'이란 옛말이 지금 우리의 삶을 지배하는 '뉴노멀(New Normal, 새로운 기준)'이 되어 있습니다.

　이런 변화는 우리 사회의 것만은 아닙니다. 거침없이 진행되어 온 '세계화'로 인해 '지구촌'이라 불리던 세상이었습니다. 공항에는 오가는 사람으로 가득했고, 여행이든 일이든 까닭이 있으면, 언제든 어디든 가야 할 곳으로 갈 수 있었습니다. 그곳이 어디든 그곳에는 지구촌의 이웃이, 함께 일하는 동료와 친구가 있었습니다.

하지만, 코로나19 팬데믹 이후 모든 것이 변했습니다. 거의 예외 없이 모든 국가가 국경을 닫았습니다. 사람만이 아니라 오가던 많은 것들이 국경 앞에서 멈추어 섰습니다. '각국도생(各國圖生)'이란 낯선 말이 지금 지구촌이 직면한 새로운 상황을 담아내고 있습니다.

함께 사는 이들이라 여기며 살아왔는데 홀로 남겨진 듯 외로움과 고립감이 몰려듭니다. 경쟁자는 넘치지만, 서로 돕는 동료나 동행을 만나기는 어렵습니다. 동료이고 동행이었던 이들도 각자의 길을 걷기에만 몰두하는 것 같고, 서로를 향한 관심과 행동은 예전보다 시들해진 것 같습니다.

매년 발표되는 '한국의 사회지표'에는 '사회적 고립감' 항목이 있습니다. '2019 한국의 사회지표'를 보면 성인 응답자(19~69세) 가운데 '외롭다'고 느끼는 이들이 20.5%입니다. 2018년(16.0%)보다 4.5%포인트 증가했습니다. 같은 기간 '아무도 나를 잘 알지 못한다'라고 생각하는 이들도 16.7%로 2018년(11.3%)보다 5.4%포인트 늘었습니다. 두 지표 모두 2014년부터 2018년까지는 줄어들었지만, 지난해부터 급증으로 돌아섰습니다. 세부 내용 중 주목해야 할 부분이 있습니다. 월소득 100만 원 미만인 저소득층은 응답자 43.1%가 외롭다고 답했습니다. 전체 평균 20.5%에 비해 2배가 넘습니다.

가난이란 삶의 짐과 함께 외로움이란 마음의 짐을 지고 사는 이들이 많습니다. 경제침체를 누구보다 버겁게 직면해야 하는 이들은 마음의 그늘도 짙게 경험해야 했습니다. 함께 사는 세상이라 어려움이 다가오면 모두가 그 어려움을 만난다고 하지만, 선 자리에 따라 충격의 크기는 다릅니다.

코로나19 팬데믹 이후 삶의 여러 모습이 바뀌었습니다. 마트에 가서 장을 보기보다 온라인으로 주문하고, 식당에 가기보다 온라인으로 주문했습니다. 누구와도 대면하지 않고, 각자의 손에 들린 스마트폰에서 몇 번의 터치와 클릭으로 이루어진 일들입니다. 여럿이 공존하던 식당에서의 혼밥이 아니라 각자의 공간에서 혼밥으로 변했습니다. 홀로이던 이의 홀로의 시간이 더욱더 늘어났습니다.

하지만 겉으로 보이는 모습이 전부가 아니라는 것을 우리는 알고 있습니다. 주문한 상품이나 음식이 나만의 공간에 오기까지 거기에는 수많은 이들의 수고가 있음을 알고 있습니다. 그래서 수고하는 이들을 향한 짤막한 응원의 문구와 함께 음료수를 내어놓는 이들이 많았습니다. 대면은 없었지만, 대화는 있었습니다. 얼굴을 볼 수 없었지만, 마음을 나눌 수 있었습니다. 겉으로 사람의 모습이 보이지 않는다고 해서 사람이 없는 것은 아닙니다. 보이지 않는 곳에서 수고하는 동료와 동행이 있기에, 우리는 각자의 공간에서 혼밥을 하면서 살아갈 수 있습니다.

홀로 있는 것 같지만, 홀로인 사람은 없습니다. 각자도생하고 있지만, 홀로인 사람은 없습니다. 여러 까닭으로 가장 짙은 외로움을 느끼며 삶의 무게를 견디어내는 삶의 동료들이 우리 곁에 있습니다. 음식이 식지 않도록 비가 내리는 거리를 뚫고 달려오는 삶의 동료들이 있습니다. 무거운 물건을 들고 엘리베이터가 없는 건물의 계단을 오르내리는 삶의 동료들이 있습니다.

이러저러한 까닭으로 우리 사회도 1인 가구가 전체 가구의 30%를 넘겼습니다. 홀로 사는 이들이 많습니다. 홀로 살아감이 짙은 외로움이 되지 않도록, 함께 사는 법을 터득했으면 합니다.

오늘은, 홀로 커피를 마십니다. 홀로 마시는 커피가 외롭지 않은 것은, 나와 같은 커피 취향을 가진 이가 어디선가 함께 커피를 마시며 하루를 만나고 있기 때문입니다. 어떤 커피여도 좋습니다. 홀로 그러나 함께 하루를 마십니다.

🦋 바람 한 모금

보이는 외로움에 지지 마라.
홀로여도 함께다.
함께하는 이들을 기억하라.
모든 순간 우리는 연결되어 있다.

CHAPTER 03

비버리

몰아칠 땐

· 잠시 쉬었다 가요

어제와 같은 하루도 때로는 축복입니다

●

똑같은 게 반복되는 건 지겨운 일입니다. 어제와 같은 오늘, 오늘과 크게 다를 게 없을 내일은 생각하는 것만으로도 끔찍한 일입니다. 하물며 하는 일도 매일 똑같은 반복이면 숨 쉬는 일조차 신물 날 듯합니다.

영화 〈모던타임즈〉에서 공장 노동자 찰리(찰리 채플린 분)는 온종일 컨베이어벨트 앞에서 나사 조이는 일을 반복합니다. 심지어 그는 일하지 않을 때도 나사 조이는 감각이 몸에 남아 모든 사물을 조이고자 하는 강박을 갖게 됩니다. 영화에서 그가 기계의 거대한 톱니에 빨려 들어가서도 계속 나사를 조이는 장면은 상징적입니다. 우리의 일상은 채플린의 그것에는 미치지 않는다 해도 크게 다르지는 않을 겁니다.

참 지겨운 '밥벌이'의 숙명입니다. 좋아서 하는 일이라면 모를까 먹고 살기 위해 어쩔 수 없이 일해야 하는 건 인간의 불행한 운명입니다. 다행히 매일 일하는 건 아닙니다. 주말의 휴식이 있으니까요. 예전에는 아주 특별한 날을 제외하고는 날마다 노동하고 살아야만 했으니 그때보다는 낫겠지만, 똑같은 패턴의 일상이 반복된다는 건 크게 달라지지 않았습니다. 주말이면 들로 산으로 나가고 싶은 건 꼭 특별히 신나게 놀고 싶어서라기보다 지겨운 일상에서 잠깐 벗어나 '숨'을 쉬고 싶기 때문입니다. 우리는 이렇게 반복적이고 관성적인 일상에 저항하며 살아갑니다.

그런데 큰일을 겪고 나면 평범한 일상이야말로 엄청난 축복이라는 걸 깨닫기도 합니다. '아무 일도 없다'는 것만큼 고마운 일이 또 없습니다. '무탈'하다는 말처럼 살가운 말이 없다는 걸 깨닫습니다. 어제는 건강했습니다. 그런데 오늘 그 건강을 잃거나 사고를 당한다면 그 '아무 일도 없음'이 얼마나 소중하겠습니까. '든 자리 몰라도 난 자리 안다'던가요? 힘든 일을 겪은 오늘은 무탈한 어제가 그립고 또 그립습니다.

코로나19 팬데믹은 갑자기 우리의 일상을 멈추게 했습니다. 우리나라만 그렇다면 돈 많은 사람들이야 안전한 외국으로 잠깐 나가 있을 수도 있겠지만, 전 세계가 팬데믹의 상황이니 오갈 데가 없습니다. 돈과 시간, 그리고 건강만 허락되면 언제든 해외여행을 할 수 있는 건 이미 과거의 추억이 되었습니다. 국내에서도 사람이 많은 곳에 가는 것 자체가 두렵고 꺼려집니다. 경험하지 않았고 상상도 하지 못하던 일이 벌어진 겁니다. 사람에게 사람이 가장 두려운 존재가 되었습니다. 전쟁에서 적군을 두려워

할 수는 있지만, 같은 시공간에서 함께 살고 있는 사람이 두려운 존재가 된 적은 없었습니다.

　이 상황에 이르니 과거가 그립습니다. 아무 일도 없었고 그저 이 날이 그 날 같기만 한 일상의 반복적 나날들이 얼마나 소중하고 귀한 것인지 새삼 깨닫습니다. 그때는 걸핏하면 어제와 같은 오늘이 지겹고 야속했는데 돌아보니 그것만큼의 축복이 또 없었음을 깨닫습니다. 아무 일 없다는 게 무탈하다는 것임을 이런 방식으로 느끼게 되는 건 야속한 일이지만, 그래도 그런 하루 하루가 얼마나 소중한 것인지 깨닫게 되는 건 나름의 소득일 수도 있겠습니다.

　사실 이런 경험이 처음은 아닙니다. 몸이 아프고 난 뒤에야 우리는 그저 무병한 나날이 얼마나 고마운 일이었는지 깨닫고, 큰일을 치르고서야 아무 일 없는 하루가 얼마나 소중한지 깨닫습니다. 어제와 똑같이 출근하고 일하는 것만으로도 고마운 일입니다. 어느 화장실에서 본 '당신의 오늘은 어제 삶을 마감한 사람이 그토록 소망하던 그날입니다.'라는 말이 허튼 소리가 아님을 이제야 비로소 알게 됩니다.

　물론 어찌 반복된 나날의 무탈함을 매일 매 순간 느끼며 살 수 있겠습니까. 그러기에는 우리의 삶이 바쁘고 때론 역동적이어서 지나친 감상에 빠지는 것 자체가 일종의 사치일 뿐이라는 것쯤은 우리 모두 다 아는 일입니다. 하지만 그래도 가끔은 돌아보면서 그런 날들이 얼마나 소중하고 고마운 날인지 알면서 사는 건 다르겠지요.

특별한 고민 없이 카페에서 차를 마시면서 잠깐이나마 바쁜 일상에서 벗어나 느긋함을 즐길 수 있는 것도 그저 그런 상투적인 시간만은 아닙니다. 만약 불행히도 어딘가에 감금되어 있거나 중환자실에 입원해 있다고 상상하면 그렇게 느긋하게 잠깐의 커피를 즐기는 것이 선망을 넘어 꿈일 수도 있습니다. 잃고 난 뒤에야 있었던 것의 고마움을 아는 건 때론 어리석음이고 때로는 아쉬움입니다. 조용히 공원 벤치에 앉아 책을 읽거나 저녁놀을 바라보는 것이 얼마나 큰 행복이고 고마움인지요.

코로나19 팬데믹으로 인한 사회적 거리 두기가 강화되면서 둘째 아들의 혼인에 양가 합쳐서 49명만 참석하는 결혼식을 치러야 하는 상황이 되니 예전 모든 하객이 찾아와 인사를 나누고 축하하던 게 신랑신부와 혼주에게 큰 행복이었다는 걸 느끼게 됩니다. 찾아올 분들께 식장에 찾아오지 마시라고 일일이 기별하는 것도 곤혹스럽고 송구한 일입니다. 번거로움보다는 미안하고 안타까움이 먼저인 것도 우리가 처음 맞는 비일상성이 요구하는 각성인 듯합니다.

어떤 이는 평범함은 삶에 대한 게으름이며 심지어 죄악이라고까지 비난합니다. 그러나 평범함이라는 게 무사안일이 아니라 예기치 못한 힘겨움을 겪으면서 깨닫는 무탈함의 고마움이라는 것도 알아야 하겠습니다. 어찌 모든 날이 설렘과 새로움,

그리고 도약의 시간일 수 있겠습니까. 어제와 같은 오늘도 매 순간 고맙고 따뜻하게 품으며 사는 것이 지혜입니다. 그것을 비겁이나 자기합리화라고 하더라도 나는 그것을 포기하지 않으렵니다.

축복이라는 게 꼭 로또에 당첨되거나 높은 자리로 승진하는 것만을 의미하는 건 아닙니다. 아프지 않고 어제처럼 별일 없이 맞을 수 있는 오늘이 때론 가장 큰 축복입니다. 그런 하루를 당신과 함께 맞을 수 있어서 고맙습니다. 당신이 아무 일 없이 건강해서 고맙습니다. 나 또한 당신에게 그런 존재일 수 있기를 희망합니다.

 햇살 한 컵

타성으로서 같음이 아니라
어제의 힘을 그대로 간직한 오늘은
어제를 담으면서 진화한 하루다.

세계를 만나는 가장 현명한 방법

●

도시의 삶은 참으로 분주합니다. 현대 도시의 특징 중 대표적인 것이 분주함입니다. 그래서인지 도시에서는 특별한 경우가 아니면 천천히 걸어서 이동하는 사람들을 만나기가 어렵습니다. 도로는 늘 이동하는 차들로 가득하고, 지하철이나 버스 같은 대중교통에도 사람들로 가득합니다. 요즘에는 전동킥보드나 자전거를 이용해 이동하는 이들도 많습니다. 이처럼 분주함과 속도감 있는 이동이 현대 도시의 풍경입니다.

분주함이 대표적 특징인 도시, 촘촘하게 채워진 바쁜 일정이 자랑이자 일상인 사람들이 지배하는 도시, 그런 도시에서 한가로이 걷는 것은 시대착오적 행동으로 여겨집니다. 느릿느릿 걷는 이들이 그곳을 방문한 여행객이나 나그네라면 용납이 됩니다. 그들의 방문을 환영하고 고마워합니다. 하지만 낯선 이들이 아니라 같은 도시에 사는 이들이라면 쉽게 용납하지 않습니다. 천천히 걷는 것밖에 할 것이 없는 루저(loser, 혹은 luser: loser와 user의 합성어. 무엇을 할지 모르고 갈팡질팡하는 사람, 어찌할 바를 모르는 초보자)로 여겨 불쾌함으로 드러낼 수도 있습니다. 분주하게 이동하는 이들의 눈은 자신들과는 다른 속도로 이동하는 이들을 방해물로 여깁니다.

'주마간산(走馬看山)'이란 말이 있습니다. 말을 타고 달리면서 산을 바라본다는 뜻으로, 일이 몹시 바빠서 이것저것 자세히 살펴볼 틈도 없이 대강대강 훑어보고 지나침을 비유한 한자성어입니다. 힘차게 달리는 말 위에서는 사물을 아무리 잘 살펴보려고 해도 말이 뛰는 속도가 빨라 순간순간 스치는 모습만 겨우 볼 수 있습니다. 말에서 내려서 천천히 보면 될 텐데, 일이 몹시 바빠 그럴 수도 없으니, 달리는 말 위에서나마 대강이라도 볼 수밖에 없습니다.

매일 반복적으로 스치고 지나는 곳이지만, 그곳에 무엇이 있는지 제대로 인식하지도 못한 채 삽니다. 이러저러한 미디어를 통해 명소로 소개된 곳이 자신이 이동하던 동선에 있었다는 것을 발견하게 되면 소스라치게 놀랍니다.

세계와 만나는 가장 현명한 방법은, 천천히 걷는 것입니다. 걷는다는 것은 지금 내가 만나는 시간과 장소를 즐기고 경험하는 것입니다. 다른 것을 만들어 내기 위해 소비하는 것이 아니라 즐기고 경험하는 것입니다.

도시의 삶은 시간과 장소를 다른 무엇을 이루기 위한 소재나 도구로 삼아왔습니다. 그저 속도감 있게 새로운 것을 만들어 내기 위해 달려갈 뿐 내가 사는 시간과 장소를 만나지 못하고 스쳐 지나기만 했습니다. 효율성이 지배하는 세계, 삶의 모든 것을 소비와 생산의 순환 고리 속으로 밀어넣어 버린 현대성에서 벗어나는 현명한 방법은 걷는 것입니다.

걷기는, 미친 듯한 리듬을 타고 돌아가는 일상에서 나를 잃어버리지 않고 살게 하며 '적당한 거리'를 유지하게 하는 삶의 방식입니다. 늘 분주함에 쫓기는 도시 안에서 걷는 사람은 자기 시간의 주인입니다. 차량정체를 걱정할 필요도 없고, 정해진 시간에 맞추어 정류장에 도착하기 위해 애를 쓰지 않아도 됩니다. 걸어서 길을 걷다 보면 시간의 길이에 대한 감각이 사라지고, 자기 몸과 욕망의 척도에 맞추어 느릿느릿해진 시간 속에 잠겨듭니다.

걷는 것은 자신을 자기 세계로 활짝 열어놓는 것입니다. 발로, 다리로, 몸으로 걸으면서 지금 만나는 시간과 공간에 대해 자신을 활짝 열어놓는 것입니다. 걷는다는 것은 탈 것에 앉거나 서서 이동하는 것과 달리 오롯이 자기 몸으로만 사는 것입니다. 그러면서 지금 자기 몸이 어떠한지 만납니다. 자기 몸만 새롭게 만나는 것이 아니라 자기를 둘러싸고 있는 시간과 공간과도 새롭게 만납니다. 걷는 동안 자기가 걸어서 지나가는 장소를 조사합니다. 아마추어 인류학자처럼 건물의 특징을 살피고, 음식의 냄새를 추적하고, 사람들을 대하는 그곳 사람들의 태도를 살핍니다.

이보다 더 중요한 것은, 걷는 이들은 자기 세계에서 사는 다른 이들의 삶을 만난다는 것입니다. 길 위에 놓인 평범한 사람들의 이야기를 만납니다. 걷는 동안 우리는 여러 가지 풍경과 말들 속을 통과합니다. 길을 따라가는 동안 이루어지는 우연한 만남은 우리를 근원적인 철학으로 초대합니다. 지금 스치는 그는 어디서 왔을까? 어디로 가는 것일까? 누구일까?

한곳에 머물러 사는 이들은 여행자들 특유의 이런 질문을 던지지 않습니다. 갑자기 누가 사라지거나 아프거나 죽거나 하는 경우는 예외이지만, 사람들의 일상생활 속에서 근원적인 문제들은 묻혀 있거나 잊혀 있습니다. 하지만 매 순간 최소한의 의문들에 부딪힐 수밖에 없는 걷는 사람은, 그때그때 만나는 상대방에게 집중하고 질문합니다. 그런 질문을 통해 걷는 사람은 자기세계와 만나고, 자기 세계 속에 함께 사는 동료들과 만납니다.

세계와 만나는 가장 현명한 방법은 걷는 것입니다. 분주한 이동과 달리 걷기는 세상을 향한 자기개방이기에 세계 안에 있는 나의 진짜 모습을 발견합니다. 달리는 말 위에서 내려서 천천히 거리와 골목을 걸으면 나와 나의 세계를 경험합니다. 우리와 우리의 세계를 경험합니다.

오늘은, 기다림의 시간이 필요한 터키식 커피를 마십니다. 밀가루처럼 아주 곱게 간 원두를 넣은 커피가 끓으면 기다림의 시간을 갖습니다. 원두가 가라앉고 미지근해질 때를 기다립니다.

기다림의 시간이 지나면 부드럽고 진한 향의 커피를 만납니다.
풍부한 거품 덕분에 커피 본연의 향을 깊이 만나게 하는 터키식
커피와 함께 하루를 마십니다.

🦋 바람 한 모금

오늘과 오늘의 나에 집중하라.
정해진 목표만을 향해 달려가다
놓치고 잃어버린 것들을 찾아야 한다.
오늘과 오늘의 나에 충실하지 않고서는
목표에 이를 수 없다.

세계에서 처음으로 커피를 마신 사람들은 아랍인이다. 아랍인들이 커피를 끓이는 방식은 한때 아랍을 포함한 이슬람 세계 전역을 지배했던 오스만 제국의 주인이던 터키족의 커피, 즉 터키식 커피로 알려져 있다. 터키식 커피는 물과 커피 가루를 함께 끓인다. 커피 원두를 2스푼쯤 이브리크(ibriq)라고 하는 긴 손잡이가 달린 구리 용기에 물과 함께 넣는다. 원두는 가볍게 살짝 볶은 것을 사용하고 밀가루처럼 곱게 빻는다. 취향에 따라 설탕도 1스푼 정도 함께 넣어준다. 이브리크에 담긴 액체가 끓어오르며 거품을 일으키면 이를 저어준 후 불에서 내려놓는다. 불에 올렸다가 끓어오르면 내리는 과정을 세 차례 반복한다. 세 번 끓인 커피는 가루와 함께 작은 잔에 따른다. 가루가 가라앉는 속도에 맞춰 마셔야 한다. 급하게 마시더라도 최소 2분은 걸린다. 기다림의 미학을 통해 완성된 커피를 만난다.

함께 여행하고 싶은 사람이 있다면
행복한 삶입니다

●

　　일주일에 이틀만 일하고 닷새를 쉰다면 집에서 편히 휴식하는 것도 어쩌면 쉽게 질릴지 모르겠습니다. 일 년에 두 달만 일하고 열 달은 휴가라면 지겨울 듯합니다. 사실 인간이 하루에 몇 시간 일주일에 며칠 일하는 것이 최적인지 아직 똑 부러진 답은 없습니다. 그 최적점에 도달한 적도 없으니 쌓아온 경험들을 통해 판단할 수도 없는 노릇입니다. 우리는 여전히 진화 중이니까요.

　　지금은 주5일 근무가 당연한 일이지만, 얼마 전까지만 해도 토요일은 오전에는 근무하는 날이었습니다. 그래서 예전에는 '반(半)공일'이라 부르기도 했습니다. 토요일과 일요일 이틀의 주말도 요량 있게 쓰면 제법 쏠쏠합니다. 앞으로 주4일 근무가 되면 새로운 방식의 주말 운용을 고민해봐야겠지요.

하지만 아무리 그런 주말이라 해도 정식의 휴가와는 다르겠지요. 휴가라는 말만 들어도 마음이 느긋해지고 따뜻해지는 건 그만큼 우리에게 휴가가 필요하면서도 정작 제대로 누리지 못하는 것이기 때문이기도 할 겁니다.

휴가의 사전적 정의는 '일정 기간 쉬는 일'입니다. 물론 그 일정 기간이라는 게 보름 넘는 경우는 거의 없는 게 우리의 현실입니다. 프랑스 같은 나라에서는 4주 정도가 보장되고 그 밖의 여러 나라에서도 안식년 휴가처럼 근속연한에 따라 제법 긴 휴가를 주기도 하는데, 아직 우리에게는 그림의 떡인 경우가 대부분입니다. 프랑스의 바캉스(vacance)는 '집을 비워놓고 멀리 떠나 휴식을 취한다'는 뜻으로 쓰인다지요. 그 낱말의 어원인 라틴어 vacatio는 '무엇으로부터 자유로워지는 것', 그러니까 텅 비우는 것이라는 뜻이지요. 무엇을 비울까요? 비우는 것이 있어야 채워질 수 있습니다. 비움과 채움의 교대가 휴가인 셈이지요. 그래서 휴가는 새로운 경험으로 채우는, 설레는 일입니다.

우리의 흔한 휴가 풍속이라면 여름 혹서기 고작해야 4~5일의 짧은 여름휴가가 먼저 떠올려집니다. 아직도 놀고 쉬는 것에 대해 불편한 감정이 드는 이들도 있는 듯합니다. 이른바 산업화 시대에 살았던 이들이라면 '논다'는 말에 대해 부담스러워하도록 학습되었을 겁니다. "싸우면서 일하자"라는 구호를 남발하던 시절이었습니다. 일벌레처럼 살아야 하는 게 미덕인 시대였습니다.

사람은 마땅히 일하며 살아야 합니다. 부자 아비 둔 이들은 놀기만 하며 살아도 될지 모르겠지만, 그게 그리 좋지만은 않은 건 사람이 일하는 건 단순히 밥벌이를 위해서만은 아니기 때문입니다. 노동은 단순한 밥벌이가 아니라 나의 존재의미를 실현하는 방식이기도 합니다. 그래도 노동은 힘든 일입니다. 게다가 오로지 밥벌이를 위해 일한다는 건 때론 서글프고 안타까운 일입니다. 아니꼽고 더러워도, 비합리적이고 모순투성이에 때론 폭력적이기도 하지만 그걸 견디고 버텨야 하는 건 슬픈 일입니다. 그래도 주말이 있고 휴가가 있으니 다시 충전해서 일하러 갈 수 있습니다. 주말도 휴가도 없이 일해야만 겨우 먹고 사는 이들도 여전히 많지만, 우리에겐 주말의 쉼이 있어서 근근이 버티며 살아갑니다.

아직 우리에게 긴 휴가는 그림의 떡이지만 그래도 일단 휴가는 주말보다는 다소 길어서 마음이 설렙니다. 휴가는 일상에서 잠시 벗어나 지친 몸 가누고 너덜너덜해진 마음 다잡는 시간입니다. 게다가 즐거운 일로 채우면 비할 나위 없이 더 좋겠지요. 그래서 우리는 늘 휴가를 꿈꾸며 살아갑니다. 언제 갈지 모르지만 가고 싶은 곳들의 리스트를 작성하면서 희망을 키워갑니다. 때론 그 희망만으로도 설레고 벅차서 매일의 지겨움과 힘겨운 일을 견뎌내기도 합니다.

휴가는 열심히 일한 나 자신에게 주는 선물입니다. 그래서 휴가라는 낱말만 들어도 가슴이 설렙니다. 그러나 휴가가 꼭 멀리 떠나거나 재미있는 일을 해보는 기회로만 제한될 까닭은 없습니다. 그렇다고 거실 소파와 일심동체 되어 뭉개는 시간으로 때우는 게 능사도 아닙니다.

아무래도 휴가와 여행은 떨어지기 어려운 조합입니다. 여행은 일상에 충실했던 삶에 대한 작은 선물입니다. 늘 반복되는 일상에서 벗어나 새로운 바람, 물, 공기, 사람 등을 느끼며 일상의 긴장을 모두 내려놓을 수 있는 자유로움이야말로 여행이 주는 최고의 미덕이지요. 여행은 허가받은 일탈입니다.

그냥 불쑥 떠나는, 아무런 준비도 검색도 없이 훌쩍 떠나는 여행이 주는 일탈감은 달콤합니다. 심지어 자신조차 예상하지 못한, 그래서 충동적인 여행의 맛은 느껴보지 못한 사람은 상상하기 어려운 짜릿함을 지닙니다. 아무래도 그런 여행은 혼자 떠나는 경우가 많습니다. 혼자 떠나는 여행이야말로 어쩌면 극상의 여행일지 모릅니다. 나를 완전히 낯선 곳으로 들이밀기 위해서는 낯익은 사람조차 떼놓고 가는 것도 좋을 겁니다.

그래도 여행이라는 말을 떠올리면 함께 갈 사람을 먼저 생각하는 경우가 더 많은 건 늘 누군가와 함께 여행을 떠난 경험과 습관 때문인지도 모르겠습니다. 어떤 사람을 제대로 알기 위해서는 며칠 동안 함께 여행해보라는 말이 있습니다. 그 말을 뒤집어보면, 함께 여행할 수 있으려면 마음과 뜻이 잘 통하는 사람이 있어야 한다는 뜻이기도 한 것이겠지요. 여행을 꿈꾸면서 함께 떠나고 싶은 사람이 과연 누구인지 헤아려봅니다. 그냥 잠깐 바람 쐬러 떠나는 여행 아니고 여러 날 완전히 낯선 곳에서 함께 보낼 수 있는, 그리고 싶은 사람이 내게 몇 명이나 될까요? 조심조심 속으로 헤아려봅니다.

손가락이 하나씩 접힙니다. 접힌 손가락만으로도 나는 행복합니다. 그런 사람 있는 것만으로도 나는 이미 행복한 사람입니다. 그리고 나도 누군가에게 그런 사람일 수 있기를 희망해 봅니다. 함께 여행을 떠나볼까요? 그런데 혹시 제가 당신에게 그런 사람이기는 한가요? 그것부터 조심스럽게 물어봅니다. 함께 여행할 수 있는 도반(道伴)의 자격이 있다는 것만으로도 행복한 일입니다.

 햇살 한 컵

여행의 동행자를 찾는 게 중요한 게 아니라
내가 누군가에게
그런 여행자일 수 있는지 묻는 게 우선이다.
인생이라는 순례의 먼 길을 함께 할.

가장 단순하고 기본적이어서 가장 특별한

●

　　군에 입대해 처음 훈련받은 것이 '걷기'였습니다. '총검술'을 익히기 전에 '제식훈련'을 받았습니다. 춤을 익힐 때도 걷기(step)부터 배웁니다. 패션모델이 되기 위해 그리고 패션모델로 계속 일하기 위해 반복해 익히는 것도 걷기입니다. 이처럼 걷기는 가장 단순하고 기본적인 동작이지만, 매우 특별한 동작입니다. 인간으로 태어나 처음으로 반복해서 익히고 배우는 동작이 걷기입니다. '걸음마'라고 불리는 과정을 통해 스스로 이동하는 법을 터득합니다. 뒤뚱거리는 걸음이지만, 느릿느릿 내딛는 걸음이지만, 그 걸음을 통해 타인의 도움 없이 자기 의지대로 움직이는 존재가 됩니다.

　　한 장소에서 다른 장소로 옮겨가기 위해 인간은 지난 수천 년 동안 걸었고, 오늘날에도 여전히 걷고 있습니다. 그 걸음은 개인의 걸음이자 공동체의 걸음이었습니다. 이런저런 까닭에 경계를 넘어서 걷는 개인이 있었고, 경계를 넘어서 걷는 공동체가 있었습니다. 까닭에 따라 여러 모습의 걸음이 있었습니다. 상인의 걸음, 구도자의 걸음, 외교가의 걸음, 문화전달자의 걸음이 있었고, 도피의 걸음, 난민의 걸음, 약탈의 걸음, 침략의 걸음이 있었습니다.

경계를 넘는 걸음을 통해 서로 다른 언어와 문명과 제도와 문화가 만났습니다. 낯선 이들, 낯선 것들과의 만남은 혁명적인 결과를 만들어냈습니다. 낯선 것을 대면했을 때 인간의 감각은 예민해집니다. 살피고 경계합니다. 그렇게 예민해진 감각은 다름과 차이를 발견합니다. 자기와 무엇이 다르고 차이가 있는지 찾습니다. 이처럼 낯선 것을 대면할 때 인간은 비로소 자기 모습을 발견합니다. 다름과 차이를 발견함으로써 자기 모습을 확인합니다.

자기 경계 안에만 머물면, 다름을 가진 이들을 만나지 못할 뿐 아니라 자기 모습도 만나지 못합니다. 다름과 차이를 마주할 때 비로소 자기를 성찰하고 반성하는 기회를 얻습니다. 다름과 차이를 만났을 때 성장과 발전의 동기를 얻습니다. 경계를 넘는 걸음이 있었기에 인류의 역사는 성장과 발전을 위한 자기 변화와 혁신을 시도할 수 있었습니다.

우리가 잘 알고 있는 실크로드(Silk Road)는 그저 비단만 이동한 길이 아닙니다. 낯선 세계가 서로 만나는 길이었습니다. 서로에게서 차이와 다름을 만나고 자기의 모습을 발견했습니다. 다른 언어, 다른 문화, 다른 정치, 다른 문명을 만났습니다. 실크로

드만 그런 것은 아닙니다. 경계를 넘어서 걷는 이들은 다양한 경로를 통해 이동했습니다. 이런 걸음이 우리에게 낯설지 않습니다. 지금도 여전히 계속되고 있는 걸음이기 때문입니다. 지구촌이라 불리는 지금은 이런 걸음이 일상화되었습니다.

낯선 거리를 방문해 걷는 나, 익숙한 거리를 방문해 걷는 낯선 너. 어느 쪽이든 경계를 넘은 걸음은, 차이와 다름을 발견하는 기회이자 자기 모습과 만나는 기회입니다. 굳이 국경이란 경계를 넘지 않아도 됩니다. 일상 속에서 반복적으로 걷던 길에서 조금만 벗어나면 됩니다. 늘 걷던 길에서 벗어나 익숙하지 않은 낯선 골목을 걸으면 우리의 감각은 예민해집니다. 예민해진 감각은 그 골목을 이루고 있는 것들에 반응합니다. 매 순간 몸의 감각이 작동합니다. 예민해진 시각, 청각, 후각 감각은 그 골목을 채우고 있는 이미지와 소리, 냄새에 반응합니다. 한 걸음 내디딜 때마다 그 골목과 관계를 맺습니다. 길을 걷는 사람이 걷는 길과 맺게 되는 관계는, 정서적 관계인 동시에 신체적 결합입니다. 평소에는 느끼지 못했던 불쾌하게 하는 냄새와 유쾌하게 하는 냄새를 경험합니다. 골목을 걷는 동안 상황에 따라 유쾌함과 불쾌함을 교차하며 경험합니다. 그렇게 낯선 것과의 만남을 통해 숨겨져 있던 자기 모습을 만납니다.

1900년대 초 근대의 모습을 그대로 안고 있는 도시이자 최첨단의 현대 도시의 모습을 동시에 가진 상해, 그곳에서 3년을 살았습니다. 상해의 거리를 걸을 때면 강하게 코끝을 자극하던 냄새가 있었습니다. 때로는 유쾌하고, 때로는 불쾌한 경험이었습니다. 자극하는 냄새를 따라가 보면, 유쾌함과 불쾌함의 경계가 나의 외부가 아니라 나의 내부에 있음을 깨닫게 됩니다. 숯불에 구워지고 있던 각종 꼬치가 뿜어내는 냄새에는 유쾌함을 느꼈지만, 많은 이들이 즐겨 먹는 초두부의 냄새에는 불쾌함을 느꼈습니다. 그 어떤 음식과도 비교할 수 없다는 초두부(臭豆腐, 두부를 발효해 튀긴 음식)를 불행히도 단 한 번도 먹지 못한 것은, 익숙함에 갇혀 낯선 것을 받아들이지 못한 제 탓입니다. 다시 그곳의 거리를 걷게 된다면 그때는 그곳의 사람들처럼 초두부를 즐기며 먹을 수 있었으면 좋겠습니다.

프랑스 스트라스부르 사회학 교수 다비드 르 브르통(David Le Breton, 1953~)은 《걷기 예찬》에서 걷기는 세계를 느끼는 관능에로의 초대라고 했습니다. 기차나 자동차와 같은 탈 것은 육체의 수동성과 세계를 멀리하는 길을 가르쳐 주지만, 걷기는 눈의 활동만을 부추기는 데 그치지 않는다고 했습니다. 탈 것을 이용해서 이동하는 것과 걷는 것은 큰 차이가 있습니다. 걸어서 이동할 때 인간은 시각 감각뿐 아니라 모든 감각을 통해 세계와 관계를 맺습니다. 그래서 걷는다는 것은 세계를 온전하게 경험하는 것입니다. 하지만 탈 것을 이용해 이동할 때는 쏟아지는 거리의 이미지만을 받아들일 뿐입니다. 가장 단순하고 기본적이기에 가장 특별한 동작인 걷기는, 익숙함의 틀을 깨고 성숙과 발전을 향해 나아가게 합니다. 다비드 르 브르통은 이렇게 이야기합니다.

비록 간단한 산책이라 하더라도 걷기는 오늘날 우리네 사회의 성급하고 초조한 생활을 헝클어놓는 온갖 근심·걱정들을 잠시 멈추게 해준다. 두 발로 걷다 보면 자신에 대한 감각, 사물의 떨림이 되살아나고 쳇바퀴 도는 듯한 사회생활에 가리고 지워져 있던 가치의 척도가 회복된다. 자동차 운전자나 대중교통 이용자들과는 달리 발을 놀려 걷는 사람은 세상 앞에 벌거벗은 존재로 돌아와 자신의 행동에 책임을 지고 있음을 느낀다. 그는 인간적인 높이에 서 있기에 가장 근원적인 인간성을 망각하지 않는다.

내가 사는 세계와 가장 가깝게 만나고 관계를 맺는 방법은 가까이 있습니다. 걸으면 됩니다. 탈것에 갇혀 이동하다 보면 제한된 틀에 갇힐 수밖에 없습니다. 특히 자가용이란 틀만 이용하면 더욱더 자기 틀에 갇힐 수밖에 없습니다. 기회가 있을 때마다 내가 사는 세계를 많이 걸어야겠습니다. 걸으면서 모든 감각으로 느끼고 관계를 맺어야겠습니다. 그래서 세계와 분리되지 않은 내가 되어야겠습니다. 오늘은, 걷다가 만난 낯선 카페에 들어가 그곳을 닮은 낯선 커피를 찾아봐야겠습니다. 낯선 커피와 함께 낯선 거리를 천천히 걸으며 하루를 마십니다.

🦋 바람 한 모금

내가 누구인지조차 잊은 채
살아가지 않으려면,
느리게 걸어야 한다.
세상이 요구하는 속도로부터
의도적으로 벗어나야 한다.
진짜 나와 일상에 갇힌 내가
너무 멀리 떨어지지 않도록.

모든 고통을 잠시 내려놓는 시간, 잠

●

나의 40대 초반에서 50대 초반까지의 10여 년의 시간
은 지옥과 같았습니다. 대개의 사람들에게는 가장 역동적이고
창조적인 시간이라는 그 기간을 마치 수갑에 묶인 채 늪에서 허
우적거리는 느낌이었습니다. 뜻하지 않은 아내의 중병과 IMF
사태로 인한 자산 가치의 급락이 약간의 시차를 두고 나를 괴롭
혔습니다. 불행은 혼자 오지 않는다는 말이 실감 났습니다. 매일
매 순간이 고통이었습니다. 숨 쉬는 것조차 버거울 지경이었습
니다. 눈 뜨면 어제와 같은 고통을 겪는 게 두렵고 싫어 차라리
눈을 뜨지 않았으면 좋겠다고 생각하는 날들이 예사로운 시간
들이었습니다. 희망은 판도라의 항아리*에도 없을 것만 같았고,
어느 하루도 어제보다 나은 상태가 아니었지요. 그런 상황에서
잠시 벗어날 수 있는 거의 유일한 기회가 강의였습니다. 최소한
학교에서는 모든 걱정 뒤로 물리고 오직 수업과 강의 준비에만

몰두할 수 있었기 때문입니다.

강의를 위해 여러 책을 읽고 생각을 다듬으며, 강의 효과를 높이기 위해 내용과 주제를 어떻게 배열할까, 도입부에서는 호기심과 집중력을 끌어내기 위해 무엇을 사례로 들까? 이런저런 궁리를 하는 동안은 다른 생각이나 고민을 잠시 접어둘 수 있어 좋았습니다. 연구실에서 강의실로 가는 그 길은 늘 가슴이 설레었습니다. 학생들을 만나 그들의 반짝이는 눈들을 바라보며 그날 강의 내용을 함께 나눌 생각에 설레고, 강의를 마치면 그들의 눈이 새로 트인 것을 확인하는 만족감에 기쁜 마음으로 연구실로 돌아가곤 했습니다. 일주일에 한 번 있는 교육원 회의도 다른 생각을 할 수 없어서 짧은 휴식(?)이었습니다. 그런 시간과 나날이 반복되는 게 일상이었습니다.

두 아이는 사춘기에 들어섰고, 혼자 아이들을 감당하는 일

---

* 흔히 '판도라의 상자'라는 말이 굳어진 채 사용되지만, 본디 말은 '판도라의 항아리(the pot of Pandora)'이다. 그리스신화에 따르면 에피메테우스의 집에 제우스가 선물한 '항아리'가 있었는데 절대로 열어서는 안 되는 것이었다. 그것은 인간의 내면 깊숙이 자리 잡은 시기와 질투를 감춘 항아리였다. 판도라는 호기심으로 가득 차 그만 항아리 뚜껑을 열었고 그 안에서 분쟁, 병, 노동 등이 뛰쳐나왔다. 판도라는 겨우 뚜껑을 닫아 항아리 밑바닥에 있던 '희망'만은 간직했다. 항아리는 그리스어로 피소스(pithos)인데 에라스무스가 헤시오도스의 그리스 원문을 라틴어로 번역하면서 그리스 단어 피소스의 의미를 파악하는 대신 그것과 발음이 비슷한 라틴어 단어 픽시스(phxis)로 대체했다. 이후 '판도라의 상자'라는 말이 더 널리 쓰였고 관용어로 굳어졌다. 그러나 정확하게는 상자가 아니라 항아리다.

도 만만한 일이 아니었습니다. 게다가 우리나라 교육 시스템에서 아이들의 미래에 대한 문제도 여간 고민되는 게 아니었습니다. '할아버지의 재력, 아빠의 적당한 무관심, 엄마의 정보력'에 의해 진로가 결정된다는데 당시 그 어느 하나 마련된 게 없었고 오히려 아이들의 일상생활까지 내가 전적으로 감당해야 하는 처지였습니다. 느는 건 한숨이고, 주는 건 지갑이었습니다.

그나마 유일한 희망은 하루를 마감하고 잠자리에 드는 것이었지요. 적어도 그 순간만큼은 모든 근심과 걱정을 잊을 수 있었습니다. 내일 해가 뜨지 않는다 해도 그건 내일 걱정하면 될 일이요, 오늘 하루 겪은 모든 힘겨움 내려놓고 완전한 휴식과 평화를 누릴 수 있다는 게 유일한 위안이었습니다. 만약 인간에게 잠이 없다면 힘든 하루를 살아가는 우리에게 삶이 얼마나 끔찍할까요? 육체적 피로를 털어내고 새로운 에너지로 충전하는 기능과 역할로서의 잠이 아니더라도, 불면증으로 잠 못 드는 밤이 끔찍한 고통이라는 걸 겪기만 해도 그것을 쉽게 느낄 수 있습니다.

그 시기에는 꿈도 꾸고 싶지 않았습니다. 잠에서라도 아무런 방해 받지 않고 완벽하게 나를 내려놓고 싶었기 때문입니다. 다음날 눈뜰 때까지만이라도 모든 걸 잊고 싶었지요. 잠이 주는 완벽한 '망각'이 최고의 명약이었습니다. 이제는 그 길고 긴 질곡의 시간도 벗어나 평화롭고 큰 걱정 없이 사는데도 잠들 때면 행복합니다. 누군가는 인생에서 1/3을 아무것도 하지 못하는 잠으로 때운다는 걸 아쉬워하지만, 누군가는 그 1/3의 시간이 있어서 살아갑니다.

인간에게는 휴식도 필요하지만, 잠깐의 망각도 꼭 필요합니다. 어느 하루가 완벽할 수 있을까요. 잠이란 몸만 쉬는 것이 아니라 정신이 쉬는 시간이기도 합니다. 그냥 몸으로 이겨낼 수 있는 피곤이거나 너무 시급하거나 중요한 일 때문에 무시하는 경우도 있지만, 잠을 무시하면 언젠가 큰 고장이 날 수 있음을 기억해야 합니다. 쉬어야 하는 게 어찌 몸뿐이겠습니까. 마음도 정신도 충분한 휴식과 위안이 필요합니다. 몸의 피로는 쉽게 느끼지만, 마음이나 정신은 몸처럼 체감할 수 있는 게 아니거나 그깟 것들 때문에 아까운 시간을 덜어내는 게 못마땅하게 여겨질 수도 있습니다. 하지만 우리 마음과 정신에도 휴식과 위안이 꼭 필요합니다.

《바람과 함께 사라지다》에서 바닥까지 내몰린 어려움에 처한 주인공 스칼렛 오하라가 견딜 수 있었던 건, 그날 하루의 모든 것을 내려놓고 오롯하게 잠에 자신을 몽땅 내맡길 수 있었기 때문이었다고 생각합니다. "내일은 내일의 태양이 뜰 거야(After all, tomorrow is another day)."라며 침대로 올라가지 않았다면 어찌 견딜 수 있었을까요. 누구나 살다보면 그런 때를 마주합니다. 머리 싸매고 고민한다고 해결되는 것이 아닌데도 붙잡고 씨름합니다. 그렇게 고민과 걱정을 쌓으면서 몸과 마음이 너덜너덜해질 뿐인데도 말입니다. 그럴 때 최고의 선물은 바로 잠이 아닐까 싶습니다.

힘들고 어려울 때 잠처럼 달콤한 건 없습니다. 다음날 잠에서 깨면 다시 고통이 코앞에 다가서 있을지 모르지만 당장은 모든 걸 다 잊을 수 있으니까요. 그 짧은 망각조차 없다면 인간은 살아가지 못합니다. 몸이건 마음이건 힘들고 상처받고 있을 때 비로소 잠의 가치와 고마움을 깨닫게 됩니다. 아무런 걱정도 근심도 없는 사람에게 잠은 그저 비생산적이고 아까운 시간의 낭비처럼 느껴지거나 단순히 체력 충전의 시간으로 여겨질지 모릅니다. 그런 점에서 잠이 고맙고 달콤하며 기다려지는 사람의 삶은 참으로 고달픕니다. 그래도 그게 있어서 잠시 숨 한 번 돌릴 수 있어서 버텨내기도 합니다.

나이 들수록 아침잠이 없어집니다. 새벽에 저절로 눈이 떠집니다. 학창 시절에는 늘 졸음이 쏟아지고 특히 시험 때는 더 그렇던 것이 아스라이 먼 옛날인 듯 느껴집니다. 아침잠이 줄어들면 밤에 조금 더 일찍 자서 수면 시간을 유지해야 할 텐데, 아직 익숙하지는 않지만 조금씩 적응해볼 생각입니다. 이래저래 잠은 그리 가벼운 일이 아닙니다. 잠은 내겐 여전히 달콤합니다.

잠이란 꼭 물리적으로 몸을 눕고 눈을 감으며 육신에 쏠렸던 모든 신경을 잠시 꺼두는 것에 그치는 건 아닙니다. 잠은 몸의 균형을 맞추는 매우 중요한 기능을 합니다. 깨었을 때 작용하는 몸의 체계와 잠들었을 때 작용하는 그것은 서로 채워주는 역할을 하기에 두 작용이 균형을 맞추며 교차되는 것이 필요합니다. 그게 어디 몸뿐이겠습니까? 우리의 일상도 마찬가지입니다. 진짜 일을 사랑하고 그것에서 자신의 삶을 실현하려면 오래오래 그것을 지킬 수 있어야 합니다. 그러니 몰입할 때와 쉴 때를 적당한 간격으로 나누고 순서를 짜는 지혜가 필요합니다. 잠을 가볍게 여기거나 생산성 없다고 깎아내리는 바보 같은 짓을 하지 말아야겠습니다. 안타깝게도 우리는 '잘 자는 법'을 배운 적이 없습니다. 집에서도, 학교에서도, 사회에서도. 이제라도 그걸 가르치고 배우며 훈련하는 과정을 도입하면 좋겠습니다.

　나는 개인적으로 라틴계 사람들의 낮잠(시에스타)이 참 부럽습니다. 물론 날씨에 따른 적응의 지혜에서 얻은 산물이겠지만, 하루의 일과를 깨어있는 시간 전체의 한 흐름으로 끝내는 게 아니라 중간에 잠이라는 간격을 끼워 넣어 템포와 리듬을 조절할 수 있다는 건 매력적입니다. 저도 대학을 떠난 뒤 마련한 작업실에서 거의 온종일 보낼 때는 잠깐 낮잠을 즐겼습니다. 길지 않은 잠이지만 정말 꿀맛 같습니다. 일반 직장에서야 엄두도 못낼 일이지만, 퇴직 후 누린 호사의 하나입니다. 오전 내내 글과 씨름하다 지친 몸과 생각이 잠시의 잠을 통해 회복되고 때로는 오히려 더 신선해진 생각과 느낌으로 얻는 것이 꽤 많았습니다.

　세상에 잠만큼 달콤한 것은 없는 듯합니다. 잠은 모든 사람을 평등하게 해준다는 점에서도 매력적입니다. 잠자리의 환경이야 다 다르지만 잠이라는 현상은 누구에게나 공평합니다. 잠자고 있는 동안은 모든 사람은 똑같습니다. 부자의 잠이라고 가난한 사람의 잠보다 더 고급스럽고 고상한 건 아닙니다. 누구나 꿈을 꾸고 지친 육신과 정신을 잠시 내려놓고 동등한 생물체로 잠을 누립니다. 롤스로이스 뒷좌석에서의 잠이나 1톤 트럭 용달차에서의 잠이나 잠의 본질은 동일합니다. 어쩌면 열심히 일한 트럭 운전자의 잠이 훨씬 더 달콤하고 농밀할 듯합니다.

　사람이 간사한 게 하루에 오직 잠자는 시간만 기다릴 만큼 고달팠던 시기를 다 치르고 지나니 매일의 잠이 예전처럼 그렇게 고맙고 소중하게 느껴지지 않습니다. 하지만 모든 잠은 내일을 기다리는 '매일의 정기휴가'입니다. 시름이건 설렘이건 다 내려놓고 잠시 원형의 상태로 돌아갔다 돌아오는 일입니다. 잠이 고맙다는 건 그만큼 열심히 살았다는 증거이기도 합니다. 꿈도 잠을 자야만 꿀 수 있습니다. 쉼을 아까워하는 건 어리석은 일입니다. 잠은 잠깐의 죽음이 아니라 짧지만 강렬한, 고단한 하루에 대한 선물입니다. 달콤한 잠 그 자체만으로도 행복한 일입니다. 치열한 하루에 대한 가장 큰 감사의 인사입니다. "열심히 일한 당신, 떠나라!"라는 광고 카피처럼 열심히 일한 나에게 깊은 잠을 선물합니다.

 햇살 한 컵

잠, 잠시 멈추어 모든 걸 내려놓는 시간.
깊은 잠 그것만으로도 축복이다.

예외 없이 모두가 인간다워지는 시간

●

도시의 도로는 자동차로 가득합니다. 예전과 달리 이제는 다양한 자동차들이 시선에 들어옵니다. '자동차'라는 쓸모와 이름은 같지만, 가격과 성능에서 엄청난 차이를 지닌 자동차들이 다닙니다. 시커멓게 선팅을 해서 타고 있는 사람은 볼 수도 없고 보이지도 않지만, 자동차의 등급에 따라 다르게 불립니다. '거지 같은 차, 거지의 차'라 불리는 자동차도 있고, '슈퍼카'도 있습니다.

달리는 자동차는 여러 면에서 위협적인 존재입니다. 특히 엄청난 속도로 달리는 자동차는 사람에게도 다른 자동차에도 큰 위협입니다. 그런데 멈추어 선 자동차는 전혀 다른 존재가 됩니다. 아예 시동을 끄고 운행을 멈춘 자동차는 그냥 하나의 커다란 물체일 뿐입니다. 사람들이나 다른 이동하는 것들의 통행을 방해하는 방해물이 되기도 합니다.

멈추어 선 자동차도 여전히 부와 지위의 상징이고, 지닌 힘의 크기도 다릅니다. 불편이 심해도 가격이 워낙 비싸 혹시라도 작은 흠집이라도 날까 봐, 혹은 그 주인이 엄청난 강자일지 몰라서 견인해 움직이지 못하는 경우가 있습니다. 하지만 위협하는 존재는 아닙니다. 같은 존재라도 움직일 때와 멈추어 섰을 때 그 존재의 의미는 달라집니다.

우리는 모두 눈코 뜰 새 없이 바쁘게 삽니다. 학생들은 시험에서 좋은 성적을 얻느라 쉴 새 없이 달리고, 선생은 성과를 내고 과제를 내고 표창을 받고 직함을 얻기 위해 달립니다. 비즈니스맨은 돈을 벌기 위해 달리고, 관리들은 승진하기 위해 달립니다. 부모는 자식을 위해 분주히 일하고, 자식은 불투명한 앞날 때문에 달립니다. 이렇게 바쁘게 사는 동안 그렇게 사는 것이 정말 자신을 위한 것인지 질문하지 못했습니다. 자신을 위해서가 아니라 다른 사람들의 기대나 인정에 부응하기 위해 그저 달리기만 했는지도 모릅니다.

이런 세상에 멈춤 신호등이 켜졌습니다. 쉴 새 없이 달리던 세상이 코로나19 팬데믹이라는 붉은색 신호등이 켜지자 한순간 동시에 멈추어 선 듯합니다. 예전처럼 다시 달리기 시작한 부분이 있지만, 여전히 멈추어 있는 부분이 많습니다. 애써 버티며 달려오다 이제 걸음을 멈추는 이들도 있습니다. 힘든 일상이 이어지고 있습니다.

보이지도 않는 작은 존재인 바이러스 앞에서 우리는 참 무기력합니다. 젊고 건강한 사람도, 똑똑하고 지위가 있는 사람도, 부유하고 좋은 환경에서 사는 사람도 마찬가지입니다. 상황에 따라 차이가 있기는 하지만, 무기력한 것은 별다르지 않습니다. 그간 우리를 구분 짓던 강하고 약함의 차이가 의미 없어 보입니다.

그간 우리는 어떤 영역이든 강자와 약자를 참 열심히도 구분해 왔습니다. 개인이든 조직이든 예외 없이 강자와 약자를 구분했습니다. 약자를 보호하기 위한 구분이면 얼마나 좋을까요? 불행히도 그런 구분이 아닙니다. 강자 독식이란 정글의 법칙이 사람이 사는 사회에도 적용되었습니다. 초등학교 아이들 사이에서도 약자란 낙인이 찍히면 따돌림의 대상이 됩니다. 아파트가 아닌 곳에 산다는 이유로, 아파트에 살아도 임대 아파트에 산다는 이유로, 부모의 국적이나 출신이 한국이 아니란 이유로 말입니다. 여러 면에서 살기 좋은 세상이 되었다고 하지만, 강사와 달리 약자는 참 살기 버거운 세상입니다. 그런데 많은 것이 멈추어 선 세상에서는 강자도 버거운 일상을 경험하고 있습니다.

멈춤을 어색하게 여기지만, 우리는 삶의 3분의 1을 잠자는 데 사용합니다. 생명의 4대 필수요소가 있는데, 공기와 물과 음식과 잠이 그것입니다. 처음 세 가지, 공기와 물과 음식이 생명의 필수요소라는 것은 누구나 본능적으로 알지만, 잠이 생명과 건강의 필수요소임을 모르는 사람이 의외로 많습니다.

정상 수면이 무너지면 건강에 부정적 결과가 따릅니다. 잠을 줄일 수는 있지만, 잠을 피할 수는 없습니다. 우리에게 잠이 필요하다는 사실은 우리의 궁극적 한계를 깨닫게 합니다. 매일 저녁 우리는 우리가 무한의 존재가 아님을 인정해야만 합니다. 우리에게 멈춤은 생명의 필수요소입니다.

하루가 끝나는 시간, 가장 인간다워지는 시간을 만납니다. 멈춤의 시간입니다. 매일 하루의 끝에 우리는 잠자리에 듭니다. 가난한 사람이든 부유한 사람이든, 건강한 사람이든 건강하지 못한 사람이든, 젊은 사람이든 늙은 사람이든, 우리의 육체는 피곤해집니다.

잠을 받아들이는 것은 우리의 한계를 고백하는 것입니다. 깨어 있을 때와 잠 들었을 때 우리는 다른 존재입니다. 잠든 거인은 깨어 있는 아이보다 약한 존재입니다. 잠든 동안 우리는 무방비의 연약한 상태입니다. 하루의 끝, 멈추어 잠이 들 때마다 우리는 깰 때까지 무방비 상태를 경험합니다.

멈춤과 쉼의 시간을 어색하게 여겨서는 안 됩니다. 쉼의 습관에 익숙해져야 합니다. 마음도 생각도 쉼의 습관을 배워야 합니다. 우리는 육체적이고 심리적이며 영적인, 즉 전인적인 쉼이 필요합니다.

성경의 배경이기도 한 유대 문화에서는 해가 지는 저녁에 하루가 시작됩니다. 구약성경 창세기 1장을 보면 "저녁이 되고 아침이 되니"라는 구절이 반복됩니다. 유대인의 하루는 일에서 시작하는 것이 아니라 쉼에서부터 시작합니다. 유대인의 하루는 아무것도 성취하지 않은 듯 보이는 데서 시작합니다. 편안히 누워 잠자리에 드는 것으로 시작합니다.

시간에 대한 이러한 이해는 자신의 노력과 성취로 하루를 평가하는 우리에게는 낯설고 큰 충격입니다. 무력하게 잠이 드는 것으로 시작하는 하루는, 한 것도 없이 쉬냐고 자책하는 우리에게는 받아들이기 힘든 하루입니다.

하루에 관한 생각을 바꾸고 무기력한 채 잠이 드는 것을 반갑게 받아들이면, 기계적인 삶에서 인간적인 삶으로 전환할 수 있습니다. 꿀잠을 잔다는 말이 있듯이 잠은 우리에게 꿀 같은 시간입니다. 예외 없이 모두가 인간다워지는 시간을 꿀 같은 시간으로 보내는 우리였으면 합니다.

유학 시절 방문했던 스타벅스에는 꿀이 비치되어 있었습니다. 꿀을 넣은 뜨거운 커피는 습하고 차가운 겨울을 이겨내는 에너지였습니다. 오늘은, 꿀을 품은 따뜻한 아메리카노로 하루를 마십니다.

🦋 바람 한 모금

멈춤과 쉼에 익숙해지고 당당해져야 한다.
그래야 나로서 살아갈 수 있다.

꿀을 처음 보았을 때 느낌은 "네가 왜 거기서 나와?"였다. 뜨거운 커피에 꿀을 넣어 마시는 모습이 낯설었다. 호기심에 따라 했다. 그리곤 습관이 되었다.

먹는 일 이상을 기대하는 삶을 누려야

●

흔히 '젊음'과 '먹는 일'을 묶어서 말할 때 '쇠붙이도 씹어 먹을 나이'라는 말을 들어보신 적이 있으신지요? 가장 혈기 왕성하고 소비해야 할 에너지도 많은 나이니 당연히 많이 먹고 쉽게 소화합니다. 그건 청년의 특권이자 자산입니다. 어른들 말씀 가운데 '먹는 데에 복이 있다'는 건 괜히 나온 말이 아닙니다. 잘 먹어야 일도 잘 할 수 있으니까요. 그 나이에는 한 끼만 굶어도 견디기 힘겹습니다.

대부분의 사람들은 매일 세 끼의 식사를 합니다. 먹지 않고 살 수는 없습니다. 먹고 살기 위해 일합니다. 가족을 먹여 살리기 위해 열심히 일합니다. 먹기 위해 사는 것이 아니라 살기 위해 먹는 것이 옳지만, 뜻밖에도 우리는 먹고 살기 위해 열심히 일하는 경우가 참 많습니다. 먹는 일을 가볍게 여기거나 무시할 수는 없습니다. 단순히 몸에 필요한 에너지를 공급하는 것뿐 아니라 먹는 일 자체가 기쁨이기도 합니다.

먹는 일은 분명 즐거운 일입니다. 그리고 가장 확실하고 빠른 쾌락의 달성이기도 합니다. 그래서일까요? 사람들은 맛집 순례를 마다하지 않습니다. 멀리 떨어져 있어도 힘들여 가서 긴 시간 줄 서는 것 마다하지 않고 먹고 오는 걸 보면 한편으로는 그 열성이 존경스럽기도 합니다. 자기 혼자 맛난 것 먹는 게 미안했는지, 다른 사람에게도 널리 알려야 한다는 사명감 때문인지 혹은 자랑하고 싶어서인지 블로그에 그 탐방기까지 올립니다. 심지어 주변 사람들을 데리고 가서 그 집 음식을 맛보게 하는 일도 마다하지 않습니다. 그들이 공들여 올린 평가의 글이 도움이 될 때도 있습니다. 저도 여행을 떠나면 가장 먼저 인터넷으로 그 정보를 탐색합니다. 대부분 달지근한 것들을 좋아하는 경우가 많아서 저와 입맛이 다르기 때문인지 거의 늘 실망하는 편이기는 하지만, 그래도 가끔은 좋은 식당을 발견하는 기쁨을 공유할 때도 있습니다. 다만 거기에 지나치게 몰두하고 있는 건 아닌가 하는 생각이 드는 것도 사실입니다.

TV를 틀면 온통 먹는 방송들입니다. 재방송에 케이블TV의 재전송까지 훑으면 온종일 '먹방'만 볼 수도 있습니다. '맛있는 녀석들'이라는 프로는 아예 대놓고 대식가 연예인들이 먹기 배틀을 벌입니다. 이쯤이면 가히 '음식 포르노' 수준입니다. 그 밖에도 음식에 관한 프로그램이 넘치고 또 넘칩니다. 다른 나라 사람들이 본다면, 우리가 엄청난 미식을 탐하거나 먹는 일에만 관심이 쏠린 줄 알지도 모르겠다 싶어 낯이 화끈거리기도 할 정도입니다. 그런 방송들이 너무 많아 마음이 편치 않습니다. 제가 마음이 편치 않은 까닭이 보편적 동의를 얻지 못할 이유인지는 모르겠습니다만, 저는 이것들을 볼 때마다 섬뜩함을 느끼기도 합니다. 섬뜩하다는 제 표현이 과하다거나 바늘만한 것을 몽둥이만하다고 과장하거나 엄살떠는 것이라고 나무라실 수도 있겠지만 솔직히 저는 조금은 섬뜩합니다.

  사람은 누구나 행복을 추구합니다. 행복은 내가 원하는 것, 즉 욕망하는 것을 성취했을 때 느끼는 감정입니다. 본능적 욕망뿐인 동물과는 달리 인간은 의지적 욕망이 있습니다. 즉 권력, 재력, 명예 등의 욕망입니다. 그런데 지금 우리의 현실에서 그런 욕망을 실현할 수 있는 사람들은 생각보다 그리 많지 않습니다. 특히 지금의 젊은이들 경우는 너더욱 그렇습니다. 소수의 사람에게만 허용되는 것처럼 보입니다. 남은 건 본능적 욕망입니다. 대표적인 본능적 욕망은 성욕과 식욕입니다. 성욕은 그 자체 강력한 욕망이지만, 문명사회에서의 그것은 쾌락과 더불어 결혼과 출산을 전제로 하는 경우가 일반적입니다. 그런데 갈수록 거기에는 경제적 상황이 따라야 하는 세상으로 변하고 있고, 그래서 그런 능력과 기회가 보장되지 않는 지금의 젊은이들에게는 결혼할 엄두가 선뜻 나지 않습니다. 혼자 살아가는 것조차 보장되지 않는데 누군가의 삶까지 책임질 형편이 아님을 알기 때문입니다. 그래서 이들은 사랑조차 포기합니다. 젊은이가 사랑을 포기하는 건 자신의 미래를 포기하는 것과 크게 다르지 않습니다. 오죽하면 '스스로 거세하는' 세대라고 하겠습니까.

그런 상황에서 남은 욕망은 식욕뿐입니다. 먹어야 살 수 있습니다. 그리고 다른 욕망에 비해 싸고 쉽게 해소할 수 있습니다. 가끔 맛난 음식을 먹으면 행복합니다. 하루 세 끼는 먹어야 하는데 다른 욕망을 충족하기는 어렵거나 시간이 많이 걸리지만 식욕은 빠르고 쉽게 해결할 수 있습니다. 그것이라도 있으니 다행입니다. 어쨌거나 행복할 수 있는 일이니까요. 먹는 즐거움은 분명 '소확행'의 중요한 한 부분입니다. 행복이 꼭 거창하거나 대단한 것을 성취했을 때 얻어지는 건 아니지요. 일상의 소소한 행복을 누릴 수 있다는 건 좋은 일이지요.

하지만 너 나 가리지 않고 모두가 먹는 일에만 몰두하고 있는 게 과연 정상적인 일인지는 모르겠습니다. 노골적으로 말하자면, 먹는 욕망 말고는 다른 욕망을 만족시킬 수 없는 세상이 되었음을 재빨리 읽어내고 그것을 매스컴에서 엔터테인먼트 비즈니스로 이용하는 것이라 해도 지나친 말은 아니라는 느낌이 드는 건 저만의 지나친 오지랖일까요? 물론 사는 게 점점 더 좋아지면서 더 좋은 음식을 찾는 경우도 있습니다. 그러나 지금 대부분 사람들의 삶이 그런지 물으면, 그렇다고 단호하게 대답하기 어려운 게 현실입니다. 이런 반성적 성찰은, 거의 예외 없이, 너 나 가릴 것 없이 모두 먹방을 쏟아내고 소비자는 그걸 보면서 더욱더 먹는 것에 대한 관심이 커지는 악순환을 반복하고 있는 것 같아 씁쓸합니다.

물론 먹는 것으로 힐링이 되는 경우도 많습니다. 마음이 허전할 때 뭔가 입에 맞는 것을 먹으면 그 허허로움이 덜어집니다. 슬프고 가슴이 아플 때도 때로는 음식이 좋은 치료제가 되기도 합니다. 레이첼 로던(Rachel Laudan, 1944~)은《탐식의 시대》에서 먹는다는 것은 인간의 삶에서 떼려야 뗄 수 없는 요소일 뿐 아니라 음식에는 역사와 문명이 담겼다고 분석했습니다. 예를 들어, 요즘 회자되는 정크푸드라는 논쟁과는 별개로 햄버거는 인류 평등과 관계가 깊다는 겁니다. 200년 전만 해도 쇠고기는 소수의 지배계층만 즐길 수 있는 고급음식이었는데 햄버거의 출현과 대중화는 개인의 평등과 자립을 보여주는 대표적 사례라는 겁니다. 요리와 음식은 인류 문명사에 막강한 영향을 끼쳤습니다. 인류는 더 나은 음식을 먹기 위해 끊임없이 노력했고 음식의 탐구가 문명의 발전으로 이어졌습니다. 음식의 발전은 인류 문화의 발진과 결코 떼려야 뗄 수 없는 관계입니다. 식문화가 인류를 새로운 삶으로 인도해온 것도 엄연한 사실입니다. 물론 불과 200년 전까지만 해도 빈곤과 질병이 인류 최대의 걱정이었던데 반해 지금의 인류는 풍요의 병을 걱정해야 하는 상황이고 그 핵심에 음식의 과다 섭취가 있기는 하지만 여전히 인간은 먹는 것에 대한 욕망을 멈추지 않습니다. 그 욕망은 인간의 원초적 본능입니다. 그 자체를 비난할 일은 결코 아닙니다.

심한 스트레스를 받을 때 음식이 좋은 처방전이 되는 경우도 있습니다. 가장 직관적 쾌락인 맛에 집중하고 그것을 음미하다 보면 저절로 근심도 잠시 잊고 스트레스가 누그러지기 때문입니다. 맛난 음식 먹을 때 우울하거나 슬퍼지는 사람은 거의 없을 겁니다. 그런 점에서 음식은 인간에게 단순히 생존에 필요한 영양소를 얻는 도구만은 아닙니다. 이른바 소울 푸드(soul food)라는 단어는 괜히 만들어진 게 아닙니다. 그러니 기왕이면 좋고 맛난 음식에 관심을 갖는 것이 허물일 까닭은 전혀 없습니다.

《식전(食傳)》에서 저자 장인용은 음식처럼 보수적인 것이 없고 동시에 음식처럼 혁신적이고 진보적인 것이 없다고 주장합니다. 외국에 나가도 김치와 된장찌개를 먹고 싶어하는 걸 보면 확실히 보수적입니다. 그러나 새로운 식자재가 출현할 때마다 음식은 진화합니다. 우리의 김치도 그런 식으로 진화했습니다. 100년 전의 우리 음식과 지금 우리의 음식을 비교하면 그 차이가 엄청나 도저히 같은 음식문화라고 하기에 민망할 지경입니다. 분명 음식의 변화에 따라 우리의 습성과 문화도 달라졌습니다. 생각도 변화했습니다. 그러나 욕망이라는 본질은 크게 달라지지 않았습니다. 더 나은 삶이 더 나은 음식을 경험할 수 있게 하고 그만큼 욕망의 영역이 확장되었습니다. 그러나 최근 먹방의 출현과 음식에 대한 과다한 탐닉은 진보의 산물이라기보다 오히려 퇴행한 사회적 삶의 투영이라는 점에서 안타깝게 느껴집니다.

몽테뉴(Michel de Montaigne, 1533~1592)는 "잘 먹는 기술은 결코 하찮은 기술이 아니며 그로 인한 기쁨은 작은 기쁨이 아니다."라고 했습니다. 잘 먹는 일은 중요합니다. 그러나 그것 말고는 다른 욕망을 충족할 수 없어서 거기에 매달리는 건 다릅니다. 그것만큼 슬픈 일은 없습니다. 쉴라 그레이엄(Sheila Graham, 1904~1988)의 말처럼 음식은 가장 원시적 형태의 위안거리입니다. 그렇다고 그 위안에만 매달리는 건 비참한 일입니다. 음식으로 얻는 즐거움은 허기와 노동을 거쳤을 때 더욱 강렬해집니다. 열심히 일할 수 있는 조건, 값싼 노동력을 제공하고 얻는 빵이 아니라 하고 싶은 일을 열심히 할 수 있는 사회적 조건을 마련하고 그 안에서 일하며 허기를 느끼고 휴식과 선물로 음식을 맛볼 수 있는 세상을 만드는 것에 조금이라도 관심을 기울이는 게 지금 우리에게 진정 필요한 덕목이 아닌가 싶습니다.

그런 문제에 대한 성찰은 빼고, 당장 혀에 감촉할 수 있는 욕망의 대상으로서의 먹을 것에 대해서만 관심을 갖는 일이 일반화되거나 거기에 매달리는 건, 고대 로마에서 빵을 공짜로 나눠주고 검투사 경기를 보여줌으로써 스스로 제국을 붕괴시켰던 과거 역사와 크게 다르지 않을지 모릅니다. 턱이 음식을 씹는 것만큼 머리와 가슴도 성찰하고 맥락을 읽어낼 수 있다면, 굳이 더 이상 TV에서 온갖 먹방을 보지 않고도 살아갈 수 있습니다. 이제는 소비자 주권을 위해서라도 방송 소비자인 시민이 그것을 꾸짖고 소비를 거절할 수 있으면 좋겠습니다. 과유불급(過猶不及), 지나침은 모자람만 못하다는 말은 모든 경우에 해당됩니다. 너 나 가리지 않고 온통 먹는 타령뿐인 세태를 조금은 두려워해야 하겠습니다. 무엇보다 그 욕망 외에는 실현할 수 있는 게 없는 현실을 만들어놓은 어른들부터 부끄러움과 책임을 느껴야 하겠습니다. 다양한 꿈을 실현할 수 있는 사회적 조건을 만들어야 하는 당위의 가늠자로 삼아야 할 때가 아닐까 싶습니다.

먹는 일은 필수적입니다. 기왕이면 더 맛있는 거 먹고 조금이라도 행복해지는 걸 탓할 일은 결코 아닙니다. 다만 현실의 모순을 비판하고 더 공정하고 다양한 기회를 제공할 수 있는 사회적 조건에 대해서 세대를 막론하고 고민하며 대책을 마련하는 것이 절실한 때입니다.

 햇살 한 컵

식욕에 대한 과도한 탐닉이
다른 욕망의 포기에 대한 유일한 대안이라는 걸
인식하고 서글퍼할 수 있을 때
한 뼘이라도 나은 세상을 추구할 수 있다.

나를 위한 여행 계획이 있습니까?

●

　　우리는 대부분 도시에서 삽니다. 나라마다 차이가 있지만, 전체 인구 중 도시에 사는 인구가 차지하는 비율을 나타내는 도시화율이 세계적으로는 56%에 달하고, 우리는 85.4%에 이른다고 추정합니다. 2010년에 발표된 공식 통계는 51.6%와 82.9%입니다. 10년이란 시간이 흘렀으니 이렇게 추정하는 것이 무리가 없을 겁니다. 그런데 예측했던 속도를 넘어섰다는 것이 염려를 더 합니다. 10년 전 예측했던 속도는, 2020년 81.4%, 2030년 82.0%, 2040년 84.0%, 2050년 86.4% 수준이었습니다.

　　이미 100%에 이른 곳도 있습니다. 홍콩이 그렇습니다. 특수한 상황이니 그럴 수 있다고 생각할 수 있지만, 1970년에는 87.5%, 1990년에는 99.5%였습니다. 조금이지만 여백이 있었습니다. 그런데 2010년에는 100%에 이르렀습니다. 90%를 넘긴 나라도 있습니다. 일본과 우루과이가 그렇습니다. 미국과 브라질은 우리와 비슷한 수준입니다. 두 나라 모두 엄청나게 넓은 국토를 가진 나라임에도 도시에서 사는 이들이 85%를 넘습니다. 중국도 도시화율이 급격하게 높아져 왔습니다. 1990년에는 26.4%이었는데 2010년에는 49.2%까지 올랐습니다. 지금은 60%를 넘겼을 겁니다.

산업혁명 이후 급속하게 진행되어 온 도시화가 가져온 변화가 많습니다. 이전과는 다른 생활방식이 도시를 지배합니다. 그중 대표적인 것이 도시는 잠들지 않는다는 것입니다. 작가이자 미래학자인 레온 크라이츠먼(Leon Kreitzman, 1943~)이 《24시간 사회(24 Hour society)》에서 이야기하듯 도시는 24시간 돌아가고 밤은 대낮같이 환합니다. 온갖 종류의 인공조명이 태양을 대신합니다. 한밤중에도 사람들은 넘쳐나고 건물의 불빛은 꺼지지 않습니다. 오히려 어둠이 찾아와야 활기를 찾는 핫플레이스도 많습니다. 서울은 동대문 지역이 대표적입니다. 날이 다시 밝아지기 전까지 분주히 움직이는 이들이 많습니다. 일하는 이들과 즐기는 사람들이 함께 만들어내는 에너지가 대단합니다.

24시간 사회, 도시에서 사는 이들의 생체시계는 고장이 난지 오래입니다. 밤이 되어도 우리 몸과 마음의 긴장도는 떨어지지 않습니다. 숙면하지 못해 어려움을 겪는 이들이 많습니다. 치료를 받는 이들도 많습니다. 밤이 사라진 도시에서는 수면 호르몬인 멜라토닌마저 사라졌습니다. 어두워야만 분비되는 호르몬인데 어둠이 사라졌으니 줄어들고 사라질 수밖에 없습니다. 도시에 사는 우리는 편히 잠들지 못합니다. 이처럼 어둠이 사라져버린 24시간 사회에서 우리는 휴식과 이완을 잃었습니다.

도시의 사람들은 밤낮없이 일하고 공부합니다. 밤이 찾아오면 자연스럽게 휴식하고 이완하던 일상이 아닙니다. 이런 일상 속에서 도시인들은 온갖 스트레스와 전쟁을 치르며 삽니다. 도시인이 겪는 생활 스트레스는 홀로 견뎌내기에는 한계를 넘었습니다. 도시인들이 겪는 이런저런 질병의 원인 중 첫째가 스트레스입니다.

이렇게 살다가는 모두가 스르르 사라져버릴 수도 있습니다. 더 늦기 전에 멈추고 제대로 휴식해야 합니다. 잠시라도 24시간 사회인 도시에서 벗어나 자기를 위해 시간을 내어주어야 합니다. 짧더라도 도시를 벗어나 자기를 위한 여행을 해야 합니다.

바삐 살아도 살기 힘든데 여행은 무슨 여행이냐고 말하는 이들이 있습니다. 그 말의 무게를 알기에 함부로 대꾸할 수 없습니다. 하지만 여행은 사치가 아닙니다. 휴식이 없는 24시간 사회에서 사는 우리가 제대로 쉬고 잠잘 수 있게 하는 것이 여행입니다.

빡빡한 일정으로 가득한 여행이 아니라, 무언가 잔뜩 즐기고 체험하는 여행이 아니라, 그저 아무것도 안 하고 수동적으로 쉬기만 하는 여행이 아니라, 자기를 위한 여행이 필요합니다. SNS에 올릴 사진이나 영상도 잊어야 합니다. 정리하기도 힘들 정도로 많이 쌓이는 기록은 일상을 떠나서도 여행에 몰입하지 못하도록 방해하고 끊임없이 긴장하고 일하게 합니다.

'캐빈 피버(cabin fever)'라는 용어가 있습니다. 정식 병명은 아니지만, 폐쇄된 곳이나 좁은 공간에 장기간 체류할 때 생기는 답답함, 불안, 짜증, 멍함, 무기력 등의 정서적인 불안정감을 뜻하는 말입니다. 창문 없는 고시원이나 좁은 원룸에서 지내거나 긴항해를 하는 이들에게서 잘 나타납니다. 동명의 영화 시리즈도 개봉되었습니다. 영화는 오두막을 배경으로 전개됩니다. '캐빈 피버'의 의미를 문자 그대로 설정해 "오두막 고열"로 다루고 있습니다.

정도의 차이가 있지만, 도시에 사는 이들은 대부분 캐빈 피버를 앓고 있습니다. 시계추처럼 집과 직장을 오가면서 일상생활을 반복하다 보면 어느 순간 자신이 새장에 갇힌 새나 목줄이 묶인 개처럼 답답하다고 느낍니다. 그래서 과감히 농촌이나 산속으로 들어가 도시인이 아니라 자연인으로 사는 사람들도 있습니다. 그들처럼 도시를 떠날 수 없는 이들이 선택하는 것이 여행입니다. 여행의 시간이 있어서 우리는 폭발하지 않고 살 수 있습니다.

24시간 사회에 갇힌 도시인은 바빠 살 수밖에 없습니다. 하지만 아무리 바빠 살아도 자신을 위해 시간을 내어야 합니다. 시간 부자란, 시간이 많은 사람이 아니라 자신을 위해 시간을 사용하는 사람입니다. 자신을 위해 일상의 시간에서 여행의 시간을 떼어내는 사람입니다. 시간에 끌려가는 사람이 아니라 자신을 위해 시간을 사용하는 사람입니다. 일정표를 살펴봅니다. 나를 위한 여행이 기록되어 있는지 확인합니다. 무엇보다 중요한 시간을 계획하고 기록합니다. 이것이 도시에서 사는 우리에게 필요한 지혜입니다.

오늘은, 브라질 엘로우 버번을 마셔야겠습니다. 땅콩의 고소한 향과 초콜릿의 적당한 쓴맛과 산미가 적어 고소하고 부드러운 커피, 브라질 엘로우 버번. 이름처럼 노란색을 띠며 익고, 원두를 갈았을 때도 짙은 노란색을 띠는, 생김새도 이름도 특별한 커피, 브라질 엘로우 버번과 함께 하루를 마십니다.

🦋 바람 한 모금

소중한 것을 먼저 정하고 행하는 것이
삶의 지혜다.
자신을 위해 시간을 쓸 수 없다면,
아무리 열심히 살아도
소중한 것을 놓친 채 사는 것이다.

브라질은 세계 제일의 커피 생산국이자 수출국이다. 다른 나라들에 비해 비교적 낮은 고도의 대규모 농장에서 커피를 경작한다. 저지대에서 재배되기 때문에 뚜렷한 특징이 있는 커피라기보다는 중성적인 커피가 생산된다. 화려한 솔리스트가 아니라 탄탄한 배경이 되어주는 커피다. 에스프레소 베이스 블렌딩에 주로 사용된다.

CHAPTER 04

구름의

자욱한 날

• 나의 자아 찾기

당신의, 존재의 집은 무엇입니까?

●

　　누구나 집에 삽니다. 물론 집이 없어서 노숙하는 이들도 있으니 앞의 말이 전적으로 옳지는 않겠지만, 대부분은 집에서 삽니다. 집이라고 다 같은 집은 아닙니다. 어떤 집은 대궐 못지않게 으리으리하고, 어떤 집은 겨우 비와 바람 가릴 정도로 초라하기도 합니다.

　　지금은 주거공간으로 아파트가 일반적이어서 다 비슷한 구조의 집에서 삽니다. 심지어 대한민국에서 집은 단순히 기거하는 공간이 아니라 자산 증식의 가장 중요하고, 실제로 비중이 큰 수단이 되었습니다. 아파트가 그 사람의 능력을 보여주는 잣대가 되었습니다. 그러니 집을 모시고 사는 셈입니다. 주객이 바뀐 것이지요.

　　출근하기 위해 하루의 낮 동안 떠났건 멀리 여행을 떠나 여러 날 비웠건 집으로 다시 돌아오는 건 행복한 일입니다. 여행을 떠나는 건 설렘이지만 집으로 돌아가는 건 안도감입니다. 여행이 연애와 비슷하다면 집은 결혼과 비슷하다고나 할까요? 그래서 누구나 '내 집만 한 곳은 없다'고 하는 모양입니다.

가족이 없다고 집이 무용한 건 아닙니다. '즐거운 나의 집(Home, sweet home)'을 작사한 존 하워드 페인(John Howard Payne, 1791~1852)은 평생 결혼하지 않았고, 자신의 집을 가져본 적도 없었으며, 유럽의 여러 나라를 떠돌아다니다가 알제리에서 사망했습니다. 아마도 그래서 더더욱 집에 대한 갈망이 컸고 그게 가사로 만들어졌는지도 모를 일입니다.

그의 시신이 31년 만에 미국으로 돌아왔을 때 미국 대통령, 국무위원, 상원의원 등 주요 인물들과 수많은 시민이 그의 늦은 귀향을 열렬히 환영했던 건 이미 그의 노래가 모든 미국인의 심금을 울린 '국민 가곡'이 되었기 때문이었을 겁니다. 가정이 얼마나 소중한 것인지 노래로 일깨워줬기 때문이었겠지요.

남북전쟁 때는 이 노래가 금지곡이었습니다. 군대에서 향수병을 일으켜 탈영을 조장한다는 이유 때문이었습니다. 향수병. 가장 고치기 힘든 병이라지요. 그러나 가장 달콤한 병이기도 합니다. 그리운 고향, 사무치는 정에 끌리는 집은 누구에게나 웅숭깊을 수밖에 없습니다.

대궐처럼 호화롭건 겨우 비 막고 볕 가리며 바람 피할 정도로 초라하건 집은 동등한 가치를 갖습니다. 아무리 밖에서 힘든 일

고단한 삶을 겪었어도 집으로 향하는 길은 그 자체로 위로가 되고 휴식이 됩니다. 참으로 집이란 묘한 힘을 갖습니다. 그 묘한 힘은 어디에서 오는 것일까요? 집이라는 물성(物性) 때문은 아닙니다. 물론 좋은 집에 대한 자부심과 당당함이라는 게 있겠지만, 그건 결코 본질적인 것은 아닙니다. 혹시 그게 본질이라면 그의 삶은 정말 빈곤하고 저렴한 것이 됩니다. 집이 갖는 묘한 힘은 바로 온기(溫氣)가 아닐까 싶습니다. 사람의 온도, 관계의 온도, 내 집이라는, 모든 바깥의 것들로부터 나를 보호하는 공간이라는 그 안도감과 평화의 온도 때문일 겁니다.

누군가를 보호하고 감싸준다는 것 말고 집이 갖는 본질적 힘이 또 있을까요? 아이들에게 집은 단순한 건축물이 아니라 자신을 보호해주는 부모님의 존재와 동일한 것입니다. 흔히 집(house)은 건물로 가정(home)은 관계로 표현하지만, 그게 명쾌하게 둘로 꼭 나눠질 까닭이 있겠습니까.

집값을 먼저 따지는 이들에게는 돈으로, 집이 평화가 아니라 공포와 불화의 근원으로 느껴지는 이들에게는 불안으로 셈해지겠지만. 둘은 마치 우리가 몸과 혼이 함께 결합된 것과 같은 것이겠지요.

그런데 '나'의 집은 어디에 있는지 궁금하지 않으신가요? 좀 세련되게 말하자면, 나의 '존재의 집' 말입니다. 그것은 무형의 집입니다. 그렇다고 하이데거(Martin Heidegger, 1889~1976)처럼

'언어가 존재의 집'이라는 철학적 수사도 아닙니다. 집이 나에게 휴식과 평화, 그리고 안도를 주는 것처럼 내 존재가 머물며 나를 성찰하고 도닥이는 집은 눈에 보이지 않습니다. 그러나 그런 집이 있는 사람과 없는 사람의 삶은 크게 다릅니다. 내 존재의 집은 자아가 머무는 곳이자 나와 세상이 전 존재로 대면하는 곳입니다. 가치, 이상, 꿈, 영혼 등 평생 나를 채우고 버텨줄 것들이 있는 곳입니다. 거기에서 나는 늘 내 존재를 충전하고 삶을 다잡으며 때론 위로하고 때론 격려하고 때론 스스로 질책하기도 합니다.

완전한 내 소유의 집이 없는 건 서러운 일입니다. 계약 기간이 있지만, 언제 집을 비워줘야 할지 모르고, 계속해서 산다는 것도 보장되지 않으며 매번 임대료가 오르는 집에 사는 이에게는 집이 버겁습니다. 게다가 갈수록 오르는 집값은 나의 능력보다 위에 있으니 집 없는 설움은 벗기 어렵습니다. 불안한 삶입니다. 그럴수록 집에 대한 갈망과 애착은 커집니다. 어렵사리 내 집을 마련해서 처음 입주한 날 부부가 끌어안고 울었다는 에피소드는 진부할 지경입니다.

그런데 정작 내 존재의 집이 없다는 것에 대해서는 별로 관심이 없습니다. 심지어 그것이 어디에 있는지 열쇠는 무엇인지 혹은 왜 있어야 하는지조차도 모르고 삽니다. 그런 삶은, 사람은 생물학적으로는 살아있지만 실존적으로는 그렇다고 장담하기 어렵습니다. 여전히 '존재의 집'이 없는 무주택자입니다.

존재의 집은 온전하게 내가 집주인입니다. 아무도 간섭하지 못하는 나의 전용 공간입니다. 거기에는 아무리 많은 것을 채워도 모자란 공간이 없습니다. 그런데도 그런 집을 찾지 않는다면 안타까운 일입니다.

집은 그 자체로 휴식, 위로, 사랑입니다. 그래서 모두 '즐거운 나의 집'을 애창하는 것이겠지요. 그러나 눈에 보이는 집만 존재하는 것이 아닙니다. 내 존재의 집은 휴식, 위로, 사랑을 넘어 나의 실존, 자아, 인생, 가치, 관계 등이 거주하며 성장하는 곳입니다. 이제라도 그 집을 설계하고 하나하나 꾸려가야 하겠습니다. '즐거운 나의 존재의 집'을 부를 수 있도록.

 햇살 한 컵

아파트 평수는 그리도 따지면서
삶의 평수는 관심조차 없는 사람이
가장 불쌍한 인간이다.

내가 누구인지 알려주는 시간

●

의사들은 항상 한계를 넘어서는 일로 건강한 생명을 해치지 말라고 충고합니다. 질병을 예방하기 위해 즐거운 마음과 편안한 마음을 가지라고 합니다. 자신을 너무 엄격하게 대하지 말고, 목표에 도달하지 못했다고 쉬지도 않고 일만 해서는 안 된다고 충고합니다.

이런 충고가 있음에도 몸을 돌보는 데 사용하는 시간을 무의미하다고 생각합니다. 필요하기는 하지만 정말로 중요한 부분에 이르기 위해 거쳐야 하는 수단 정도로 생각합니다. 그래서 함께 일하는 사람들뿐 아니라 자신의 몸을 기계처럼 여깁니다.

아무리 견고한 기계도, 튼튼한 물건도 관리하지 않으면 망가집니다. 우리 몸도 그렇습니다. 우리는 자연스레 몸을 돌보고 관리하며 삽니다. 씻고 먹고 찌꺼기를 처리하고 운동하고 쉽니다. 이처럼 우리 삶의 많은 부분은 단순한 유지 보수의 시간으로 이

구름이 자욱한 날

174

루어집니다. 이러한 모든 보살핌에도 우리 몸은 고장 나고 병에 걸립니다.

삶의 원리가 이러하지만, 일과 일의 결과가 중심된 세상에서 지나치게 일에 몰두하느라, 우리의 생명이 다른 목적을 실현하기 위한 수단이 아니라 그 자체가 목적이라는 사실을 잊고 살 때가 많습니다. 우리 삶은 무수한 일상의 순간들로 이루어집니다. 출근할 때나 길을 건너는 순간도 나의 삶이며, 나를 만드는 삶의 풍경입니다. 그러니 나의 생명이 실제로 호흡하고 있는 그 순간들을 여유로운 마음으로 누려야 합니다.

우리에게는 시간을 아껴야 한다는 강박감이 있습니다. 느긋하게 걷거나 느긋하게 식사하거나 느긋하게 차를 마시는 시간이 아깝고 부담스럽게 느껴집니다. 시간을 줄여 그 시간을 더 중요한 일을 위해 사용해야 한다는 강박감이 있습니다. 그런 생각이 우리 속에 자리하고 있어서 하나의 일이 끝나면 이내 다른 일 혹은 더 중요한 일을 시작합니다. 결국 우리는 일과 일 사이에 파묻혀 자신을 잃어버립니다. 지금 만나는 순간을 다음 단계로 나아가기 위한 수단이나 도구로 여기고, 한순간도 즐겁게 누리지 못합니다.

결국 그렇게 달려가다 어느 날 늙어버린 자신을 발견합니다. 특정한 시점에 이르러 그제야 뒤를 돌아보며 인생을 제대로 살아온 것인지 돌아봅니다. 지난 순간이 모두 자신의 인생이었다는 것을 깨달았을 때는 이미 그 순간들이 과거의 시간이 되어버린 후입니다. 지금 만나는 순간이 어떠하든 지금 만나는 인생을 즐겁게 만나야 합니다. 그래야 즐거운 인생을 이어갈 수 있습니다.

미국 질병통제예방센터(CDC)에 따르면, 미국은 수면 부족이 만연합니다. 4천9백만 명 이상이 수면 부족으로 집중력이 떨어진다고 답했고, 1천8백만 명 이상은 기억력에 문제가 생겼다고 답했고, 4천만 명 이상은 업무와 취미와 재정과 운전 같은 일상 기능에 지장이 있다고 답했습니다. 만연한 수면 문제에 대한 CDC의 분석에 따르면, 인구의 34%는 하룻밤 수면 시간이 7시간 미만이고, 48%는 코를 골고, 37.9%는 낮에 본의 아니게 잠들고, 4.7%는 운전 중에 잠듭니다. 미국 교통부의 추산에 따르면, 연간 졸음운전으로 인한 사고는 1십만 건, 사망자는 1,550명, 부상자는 4만 명 이상입니다.

미국이나 우리나 비슷합니다. 정확히 말하면 우리가 더 심각합니다. 2013년 경제협력개발기구(OECD) 통계에 따르면, 한국인의 하루 평균 수면시간은 7시간 41분으로 OECD 회원국 중 최하위입니다. 게다가 매년 조금씩 평균 수면시간이 줄어들고 있습니다. 과도한 업무량과 학업량에다 최근에는 스마트폰 사용량이 크게 늘면서 수면 부족 현상이 더 심각해졌습니다. 그렇지만 많은 사람이 이 문제를 대수롭지 않게 여깁니다.

전기가 발명된 이후로 밤의 모습이 너무도 많이 변했습니다. 이제는 24시간 사회라고 불리는 세상에서 삽니다. 2012년 통계청이 전국 초·중·고교생을 대상으로 분석한 결과 수면 부족

이유 1위는 남녀 통틀어 '학원 · 과외'(20.9%)였습니다. 그런데 남자 청소년은 다음 이유로 게임(15.3%)과 야간자율학습(15.0%)을 들었고, 여자 청소년은 가정학습(19.5%)과 채팅 · 문자메시지(18.3%) 때문이라고 답했습니다. 수면 시간이 짧아지면 뇌에서 나오는 신경전달물질인 '세로토닌'이 줄어듭니다. 이미 잘 알고 있듯이 세로토닌 부족은 '우울증'과 밀접한 관계가 있습니다.

더 큰 문제는 수면 부족이 만성화된다는 점입니다. 만성적인 수면 부족은 불면증이나 밤에 잠을 충분히 잤어도 낮에 갑자기 졸음에 빠져드는 기면증 같은 수면 장애 질환으로 이어집니다. 만성적인 수면 부족은 우울증 외에도 불안장애, 알코올 중독, 조현병 등의 정신질환을 일으키기도 합니다. 수면 부족이 만성 불면증으로 이어지면 우울증 위험이 10배가량 증가한다고 합니다. '주의력결핍과잉행동장애'(ADHD)도 수면 부족과 관계가 있다는 연구 결과가 있습니다. 수면에 만성적 문제가 있는 사람은 정상 수면을 취하는 사람보다 당뇨병과 비만과 고혈압과 우울증과 암에 걸리는 비율이 높고 더 조기에 사망합니다.

국민건강보험공단이 건강보험 진료자료를 활용해 최근 5년간 건강보험 대상자가 '수면장애' 질환으로 요양기관을 이용한 현황을 분석한 결과를 발표한 적이 있습니다. 2018년 '수면장애' 진료 환자는 57만 명으로 전 국민의 1.1%였습니다. 5년간 '수면장애' 환자 수가 연평균 8.1% 증가했습니다.

상황이 이러함에도 우리 시대는 늦은 밤에도 잠들지 못합니다. 도대체 우리는 왜 잠들지 못하는 것일까요? 1990년대 유행어 중에 '밤 새지 마~란 말이야!'란 유행어가 있었습니다. 밤을 새우는 사람이 많았으니 이런 말이 유행어가 되었을 겁니다.

우리의 수면 습관은 우리가 무엇을 사랑하고 있는지 드러내는 동시에 사랑을 형성합니다. 우리의 잠을 기꺼이 포기하게 만드는 무언가는 곧 우리가 무엇을 사랑하는지 보여 주는 훌륭한 지표가 됩니다. 자야 할 시간이 지났는데도 졸린 눈으로 인터넷을 검색하거나 귀여운 강아지 동영상을 봅니다. 그날 안으로 더 많은 일을 해결하기 위해 가능한 한 생산성을 높이려고 애쓰면서 늦게까지 깨어 있습니다.

또한 우리의 수면 습관은 우리가 무엇을 신뢰하고 있는지 드러냅니다. 우리는 직장이나 건강, 우리가 사랑하는 사람들에 대한 염려로 잠을 설칩니다. 새벽을 지나 동이 틀 때까지 문젯거리와 싸웁니다. 그렇게 오랜 싸움을 하는 것은 그것을 해결할 능력이 없다는 사실을 발견했기 때문입니다.

하루의 끝에서 우리는 내가 누구인지 알려주는 시간과 만납니다. 내가 무엇을 신뢰하고, 무엇을 사랑하는지 확인하는 시간과 만납니다.

하루의 끝에서 우리가 깊이 잠들 수 있다면, 그것은 우리의 몸보다 우리의 마음이 먼저 침대로 가서 누웠기 때문입니다. 쉼의 시간에 나를 기꺼이 내어주어야 합니다. 우리는 쉼의 시간에 자신을 내어주어야 살아갈 수 있는 존재입니다.

쉼이라는 삶의 원리와 리듬을 믿고 따를 때 건강하고 즐거운 인생을 살 수 있습니다. 잠의 세계에서 초청장이 왔을 때 거절하거나 미루지 말고 두 팔 벌려 환영하고 달려가야 합니다. 잠을 자는 순간을 즐겨야 합니다. 잠은 다른 단계로 나아가기 위한 수단이나 도구가 아닙니다. 바로 그 순간도 나의 인생입니다.

오늘은, 더치 커피를 마십니다. 방울방울 떨어지는 순간이 모여 한 잔의 커피가 된 더치 커피에 얼음과 우유를 더하고, 오직 나를 위한 시원하고 부드러운 순간을 즐기며 하루를 마십니다.

바람 한 모금

잠을 사랑하고 즐겨라.
오롯이 자기만을 위한 시간이기에.

더치 커피란 명칭은 네덜란드풍(Dutch)의 커피라 하여 붙여진 일본식 명칭이다. 영어로는 '차가운 물에 우려낸다'라는 뜻으로 콜드 브루(cold brew)라고 한다. 네덜란드령 인도네시아 식민지에서 유럽까지 커피를 운반하던 선원들이 장기간의 항해 중에도 신선한 커피를 마시기 위해 고안한 여러 가지 방법 가운데 하나다. 더치 커피를 '커피의 눈물'이라 부르기도 하는데, 용기에서 우려낸 커피가 한 방울씩 떨어져서 모이는 것 때문에 붙여진 이름이다.

파초를 심은 까닭, 쓸모 있음과 쓸모없음

심상치 않던 하늘이 기어코 한바탕 거센 빗줄기를 꽂
아댑니다. 누군가에게는 반가운 비지만, 또 다른 누군가에게는
달갑잖은, 초대받지 못한 손님처럼 눈치 없고 야속한 비일지도
모릅니다. 세상일이 다 그렇습니다. 모두를 흡족하게 해주는 일
은 없습니다.

비가 내리면 그리운 게 있습니다. 바로 파초(芭蕉)입니다. 줄
기가 위로 쭉쭉 뻗는 당찬 모습도 좋지만, 무엇보다 파초가 빚어
내는 빗소리의 울림 때문입니다. 옛사람들이 마당에 파초를 심
은 목적 가운데 하나는 대청마루에 앉아 파초에 떨어지는 빗소
리를 듣기 위함이었습니다. 민간에서 약으로 쓰는 경우도 있었
지만, 약재로 쓰기보다 관상용으로, 보고 즐기려고 심었지요. 그
렇다고 아름다운 꽃으로 눈길을 끄는 식물도 아니지만, 빗소리
듣기에는 그보다 더 좋은 게 없습니다. 넓은 잎이 떨어지는 비

를 받아내는 소리는 관능적이기까지 합니다. 굳이 말을 만들면, 관상(觀賞)용이 아니라 청상(聽賞)용이라고나 할까요? '듣는' 즐거움을 누리기 위함이지요. '보는' 즐거움이 없으니 다른 화초에 비해 어중간해서 심지어 쓸모없다는 폄하의 말까지 듣기도 하지만, 파초는 비가 올 때면 비로소 그 진가를 발휘합니다. 그야말로 무용지용(無用之用)의 미덕을 완벽하게 지니고 있는 셈입니다. '쓸모없다'는 말을 참 쉽게 합니다. 그러나 '쓸모없음'의 쓸모가 가볍지는 않습니다. 쓸모 있음과 쓸모없음을 가르는 기준도 대상 자체가 갖고 있는 힘과 가치가 아니라 그걸 받아들이는 나에 의해 정해질 뿐입니다. 그러니 엄밀하게 말하자면, 무용이니 뭐니 할 것도 아니겠습니다.

고려 시대 문인 정추(鄭樞, 1333~1382)는 〈담암의 파초시에 차운(次韻, 남이 지은 시에서 운자를 따서 시를 지음)하다〉라는 시에서 이렇게 노래했습니다.

그늘에 들어가면 더위를 피할 수 있고(託蔭可逃暑탁음가도서)
해가 중천에 있어도 서늘함이 감돈다.(日中陰氣浮일중음기부)
한밤중 달빛 아래 기이한 자태 뽐내고(奇姿月亭午기자월정오)
가을을 알리는 빗소리 맑게 울린다.(淸響雨知秋청향우지추)

옛 사람의 품성이 넉넉합니다. 키만 껑충하고 잎은 과도하게 넙데데해서 딱히 쓰임새가 없다 여길지 모르지만, 시인은 파초

의 다른 용도를 끄집어냅니다. 그 용도랄 것도 사실 돈 되는 일
과는 아무 상관도 없는, 그야말로 있으나 없으나 별 지장 없는
것입니다. 그러나 넉넉한 그늘을 마련해주고 특히 빗소리 맑게
울리는 것만으로도 다른 어떤 화초도 하지 못하는 몫을 충분히
하는 셈입니다.

소설가 이태준(李泰俊, 1904~?)은 여름날 서재에 누워 파초 잎
에 후드득 빗방울 소리를 들을 때 "가을에 비가 부리되 옷은 젖
지 않는 그 서늘함"을 아껴 파초를 가꾼다고《무서록(無序錄)》이
란 수필집의 '파초'에서 고백했습니다.《무서록》은 어떤 사물이
나 주제에 대한 작가의 느낌과 생각을 모은 일종의 에세이입니
다. 그는 자신의 파초에 온갖 정성을 다했고, 성북동에서 가장
큰 파초를 기른 것을 자랑스러워했는데, 그걸 탐낸 앞집에서 비
싸게 사겠다고 한 모양입니다. 그 돈으로 새로 지은 서재에 챙을
내는 것이 어떠냐며. 그러나 이태준은 챙을 달면 파초에 비 젖는
소리를 못 듣는다며 들은 체도 하지 않았다고 합니다. "비 오는
날 다른 화초들은 입을 다문 듯 우울할 때 파초만은 은은히 빗
방울을 퉁기어 주렴 안에 누웠으되 듣는 이의 마음에까지 비를
뿌리고도 남는다. 가슴에 비가 뿌리되 옷은 젖지 않는 그 서늘
함, 파초를 가꾸는 이 비를 기다림이 여기 있을 것이다."라고 했
습니다. 조선 시대 여러 문인이 파초를 노래한 것이나 화가들 혹
은 문인들이 즐겨 파초를 그린 것도 그런 취향과 도도함을 표현
하고 싶었기 때문이었을 겁니다.

사실 파초 잎은 생각보다 강하지도 않습니다. 연잎처럼 세찬 비와 바람에도 끄떡없는 강인함도 없고, 잎을 자세히 보면 잔 곁맥이 평행으로 있어서 쉽게 찢어지지요. 그러나 그렇게 찢어지기 때문에 강한 바람에도 잘 견딥니다. 그래서 가끔 거센 바람이 휩쓸고 지난 뒤 파초의 잎이 너덜너덜해진 것을 볼 수 있습니다. 하지만 다른 나뭇잎처럼 속절없이 꺾여 떨어지지 않고 여전히 끈질기게 잎의 가운데 줄깃대에 달려서 펄럭입니다. 찢기되 떨어지지 않는 건 파초 나름의 생존의 진화 방식에 따르는 것이겠지요. 부러지는 강함보다 찢어져도 살아남는 강인함을 지닌 게 파초입니다.

장미나 모란처럼 화려한 꽃을 피우지도 아니하고, 호박이나 참외처럼 유용한 과실을 마련해주지도 않는, 어정쩡한 파초처럼 자신의 처지에 대해 고민해보지 않은 사람이 있을까요? 심지어 남들이 부러워하는 사람조차 정작 본인은 자신의 무용에 대해 한탄하는 경우도 허다하게 봅니다. 하지만 강한 빗줄기에 그 아름답던 꽃들이 속절없이 허물어질 때 파초는 외려 당당한 소리를 울려내는 것처럼 굳이 특정한 쓸모가 아니어도 꼭 필요한 몫이 있는 겁니다. 살아있음이 원망스러울 만큼 힘든 삶은 또 얼마나 많을까요. 점점 더 힘들고 지쳐가는 세상살이에 시달릴 때면 자신감은커녕 자존감조차 뭉그러지는 느낌에 휩싸입니다. 그래도 살아 있다는 건 제 몫을 드러낼 때가 있다는 희망입니다.

키만 껑충한 파초라고 타박하는 이도 있고, 꽃도 화사하지 못할 뿐 아니라 유별나고 이상하게 보이기까지 한다고 깎아내리는 이도 있겠지만, 빗소리 듣기 위해 심은 화초는 그 역할만으로도 이미 제 몫을 다한 셈입니다.

　툇마루나 대청마루에서 파초에 떨어지는 빗소리의 매력을 들어본 이들은 생각보다 많지 않습니다. 일상화된 도회지 아파트의 생활에서는 도저히 맛볼 수 없는 향취가 되었습니다. 그러나 어느 비 내리는 여름날 한 번쯤은 일부러 그런 곳 찾아가 파초의 제 몫을 누려보시길 권합니다. 그것만으로도 큰 힐링과 격려가 될 것입니다. 당장 내 쓸모가 없다고 절망하며 체념하게 될 때가 있습니다. 그럴 때마다 '나는 파초야'라고, 더 나아가 '비 내리는 날의 파초'라고 당당하게 말할 수 있다면, 그것만으로도 충분히 존재할 가치가 넘칠 수 있습니다. 조용히 파초에 떨어지는 빗소리를 듣습니다. 그 소리 듣기 위해 심어둔 파초라면 더더욱 그 아담하고 우아한 정취, 즉 아취(雅趣)가 은은하겠지요.

 햇살 한 컵

쓸모 있고 없음을
너무 쉽게 판단하지 말 일이다,
사물이건 사람이건.

낯설고 새로운 것을
제대로 듣고 싶습니다

●

　　현재 78억이 넘는 인구가 지구촌에 삽니다. 머지않아 80억 명을 넘을 겁니다. 이 말은 저마다 취향을 가진 80억 명의 개인이 있다는 의미입니다. 내가 직접 만나는 세상은 작지만, 세상은 참 크고 복잡합니다. 크고 복잡한 세상을 완전히 이해한다는 것은 어쩌면 가장 큰 욕심인지도 모르겠습니다. 그래서일까요? 우리에게는 크고 복잡한 것을 단순화하는 버릇이 있습니다. 수천, 수만, 수억에 이르는 다양함도 멋진 것과 하찮은 것. 좋은 것과 나쁜 것. 고급스러운 것과 저급한 것으로 단순화합니다.

　　음악도 예외가 아닙니다. 수없이 다양한 종류의 음악(유형)이 존재함에도 멋진 음악과 하찮은 음악, 좋은 음악과 나쁜 음악, 고급 음악과 저급(대중) 음악으로 단순화합니다. 새로운 음악을 들을 때 가장 먼저 하는 일은 분류하는 것입니다. 이미 좋아하는

구름이 자욱한 날

스타일에 속하는 곡이면, 집중해서 들으면서 좋아하는 음악 목록에 추가할 만한 가치가 있는지 판단합니다. 좋아하는 범주에 속하지 않으면 신경 써서 듣지 않습니다.

이런 습성 때문에 선호하는 범주에 속하는 비슷한 곡들을 자꾸 듣게 되고, 새로운 범주의 음악을 즐길 가능성은 특별히 노력하지 않는 한 줄어들 수밖에 없습니다. 이런 모습은 점점 더 강화됩니다. 좋아하는 음악의 예들이 늘어나면서 자신이 좋아하는 곡의 '기본형'이 확립됩니다. 새로운 곡이 기본형에 들어맞을수록 더 쉽게 받아들입니다. 자기만의 기본형, 자기만의 취향에 따라 호불호가 결정되고, 옛말로 하면 '18번' 요즘 말로 하면 '최애곡' 리스트가 만들어집니다.

물론 단 하나의 기본형만 붙들고 있는 것은 아닙니다. 좋아하는 장르 내에서도 다양한 감정을 다루는 여러 기본형을 개발하기도 하고, 여러 장르를 동시에 좋아하기도 합니다. 계속해서 새로운 장르를 추가하며 자기 음악 세계를 넓혀가기도 합니다. 하지만 이렇게 기본형이 많아지고 장르가 다양해지고 음악 세계가 넓어진다고 해도 중심에는 자기가 있습니다. 자기 취향이 중심에 있을 수밖에 없습니다. 이것은 당연하고 본질적입니다. 문제는 이러한 사실을 어떻게 받아들이고 반응하느냐입니다.

음악 예능 프로그램이 대세 중 대세입니다. 다양한 형식과 내용의 음악 예능 프로그램이 미디어를 채우고 있습니다. 시기에 따라 치우침이 있지만, 장르도 형식도 다양합니다. '히든싱어',

'쇼미더머니', '팬텀싱어', '비긴어게인', '슈가맨', '미스터트롯', '미스트롯', '복면가왕', '불후의 명곡' '사랑의 콜센터', '트롯신이 떴다' '놀면 뭐하니' 등등.

이런 변화가 반가운 사람들도 있지만 불편한 사람들도 있습니다. '가요무대'라는 프로그램이 있는데 여기저기서 보인다고 불편해하며 전반적으로 수준이 떨어졌다고 이야기하는 이들도 있고, 낯선 외국어로 만들어진 낯선 장르의 노래를 경연까지 하며 프로그램을 만들어야 하느냐고 이야기하는 이들도 있습니다. 듣고 싶은 것을 듣고 싶은데 그렇지 못해 불편하다는 이야기이면 그렇다고 호응할 수 있겠는데, 그것이 아니라 잘못되었다고 판단하는 이야기라면 긍정할 수가 없습니다. 자기 취향에 따라 좋고 나쁨을 표현할 수는 있어도, 자기 취향을 기준으로 옳고 그름을 판단해서는 안 됩니다.

내게 익숙한 것은 내게 좋은 것입니다. 그것을 강조하는 것은 문제가 되지 않습니다. 자기 경계가 분명할수록 현재의 자기를 확인하는 데 도움이 됩니다. 지금의 자기를 명확히 알아야 앞으로 확장해 갈 미래의 자기 모습의 방향도 제대로 정할 수 있습니다. 문제는 내게 익숙한 것을 옳다고 고집하는 것입니다. 지금 나를 이루고 있는 생각과 취향이 정확히 어떤 모습이고 어떤 경로를 통해 갖게 되었는지 묻고 생각해야 합니다. 우리는 '생각하는 사람'입니다. "내 생각과 취향은 어떻게 내 생각과 취향이 되었는지?"라는 물음이 생각하는 사람의 조건이며 출발점입니다.

사람은 생각하는 동물이지만, 생각을 갖고 태어나지는 않습니다. 습관을 제2의 천성이라고 부르기는 하지만 갖고 태어나지는 않습니다. 그러면 지금의 내 생각과 취향은 내가 창조하여 갖고 있을까요? 어림도 없습니다. 우리 중 생각을 창조할 만한 경지에 오른 사상가와 새로운 장르를 창조할 만한 경지에 오른 예술가는 극소수에 불과할 뿐입니다. 그러면 지금 내 생각과 취향은 내가 선택한 것일까요? 내가 선택한 생각과 취향이 분명 있기도 하지만 대부분 태어나 자라면서 만난 환경 속에서 형성된 것입니다. 주체적으로 선택해 가진 생각과 취향은 내 생각과 감성의 총량 중 일부분에 지나지 않습니다.

이미 내게 익숙한 것이 잘 들리고 좋게 들립니다. 그래서 자꾸 익숙한 것만 들으려 합니다. 낯선 것은 들으려 하지 않습니다. 그런데 낯설어서 듣지 않는 것이라 하지 않고 듣기 불편해서 듣지 않는 것이라고 합니다. 내게서 문제를 찾는 것이 아니라 내 밖에서 문제를 찾습니다. 이것이 고집입니다. 나를 점점 더 딱딱한 껍데기 안으로 머물게 만드는 고집입니다.

생각은 눈에 보이지 않지만, 생각이 입을 통해 표현되는 것이 말입니다. 따라서 사람의 말을 분석하면, 그 사람의 사유세계를 들여다볼 수 있습니다. 생각은 곧 말이고, 말은 곧 생각입니다. 내가 누구인지 궁금하면 나의 말을 살펴보면 됩니다. 내가 만나는 세계에 대해 내가 쏟아내는 말이 어떠한지 살펴보면 내가 누구인지 알 수 있습니다.

이미 가진 생각과 취향이 기준이 되어 구분하고 배제하는 말을 하고 있다면, 나는 익숙함에 갇혀 낯선 것을 거부하는 고집 속에 있는 사람입니다. 비슷한 생각을 찾아 반기고, 다른 생각은 거부하고 차단하는 사람입니다. 익숙하기에 잘 들리는 음악만 들으며 낯선 음악은 불편한 음악이라며 거부하는 사람입니다.

80억 명의 사람이 있다는 것은 80억 개의 소리가 존재한다는 의미입니다. 80억 명의 사람이 있다는 것은 80억 개의 취향이 존재한다는 의미입니다. 80억 명의 사람이 있다는 것은 80억 개의 인생이 있다는 의미입니다. 80억 명의 사람이 있다는 것은 80억 개의 기준이 존재한다는 의미입니다. 나는 80억 명을 이루는 한 명입니다.

내가 누구냐에 따라 80억 명과 함께할 수도 있고, 80억 명과 분리될 수도 있습니다. 분명한 것은 고집이란 껍데기에 갇히면 분리되어 삽니다. 나의 껍데기를 깨야 함께할 수 있습니다. 나의 껍데기를 깨야 낯설고 새로운 소리를 제대로 들을 수 있습니다.

오늘은, 브라질 세하도를 마셔야겠습니다. 세계 제일의 커피 생산국이자 수출국인 브라질에서 주목받는 커피, 커피 입문자에게 가장 적합한 맛을 가졌다는 세하도. 고소한 향과 조화로운 맛의 밸런스를 자랑하는 낯설지만 부담 없는 새로운 커피로 하루를 마십니다.

낯선 것을 들어야
익숙한 것도 제대로 들을 수 있다.
익숙한 것만 들으면
제대로 듣고 있는지조차 잊을 때가 있다.
음악도 그렇고,
사람의 이야기도 그렇고,
시대의 소리도 그렇다.

넓은 브라질에서 생산되는 원두의 맛과 향은 토양과 기후
에 따라 다양하다. 산토스와 세하도는 조화롭고 무난해서 입문자나 초보
자도 부담이 없다. 커피의 세계로 들어서는 벗들에게 좋은 동행이 되어 줄
것이다.

나이 드는 것은 축복입니다

●

　해마다 몸이 조금씩 다르다는 느낌이 듭니다. 더 나아
질 몸은 이미 아닙니다. 당혹스럽고 안타깝습니다. 나이 들어가
는 걸 좋아할 사람은 없을 겁니다. 누구나 나이 들고 늙어갑니
다. 피할 수 없는 일입니다. 하지만 꼭 나이 듦이 서운하고 꺼려
지는 것만은 아닙니다.

　《대지》(The Good Earth)로 노벨문학상을 받은 미국의 작가 펄
벅(Pearl S. Buck, 1892~1973)이 일흔 살이 되었을 때 누군가 물
었습니다. "만약 당신이 다시 청춘으로 돌아간다면 무엇을 하
고 싶으신가요?" 그 질문이 담고 있는 뜻은 아마 이랬을 겁니다.
'누구나 다시 젊어지고 싶지 않나요? 당신도 살아오면서 아쉬운
게 있겠지요. 그걸 채울 수 있다면 얼마나 좋을까요?' 그러나 작
가는 한순간도 주저하지 않고 단호하게 대답했습니다. "나는 다
시 과거로 돌아가고 싶지 않아요. 내가 이 나이까지 오기 위해

얼마나 많은 일을 해냈는데요. 다시 그것을 되풀이하고 싶지 않아요. 나는 지금이 좋습니다. 지금 이 나이를 누리기 위해 지금까지 살아온 겁니다."

물론 누구나 펄 벅처럼 그렇게 대답하기는 어렵습니다. 나이 드는 게 좋다니요. 그러나 곰곰 생각해보면 그리 틀린 말도 아닙니다. '지금의 나이'를 누리기 위해 살아온 것이니까요 10대의 삶은 억압과 강제의 시기입니다. 가장 예민하고 유연하게 세상을 보는 법을 배우고 익혀야 할 나이지만 현실은 그와는 정반대입니다. 우리나라에서 인생의 황금기가 4~7세라는 건 '웃픈' 사실입니다. 초등학교에 들어가자마자(심지어는 유치원 때부터) 지옥의 입시 레이스가 시작됩니다. 공부라는 것도 배우는 즐거움은커녕 끔찍하고 일방적인 반복 학습인 주입식 교육이 거의 전부입니다. 생각할 틈도 주지 않고 돼지 몰 듯 대학 입시를 향해 몰고 갑니다. 그렇게 우리의 10대의 생활은 거의 비슷한 패턴으로 강요됩니다. 심지어 사춘기조차 누릴 틈도 없습니다. 그런 10대의 시간이라고 즐거움이 없다면야 살아갈 수 없는 노릇이긴 합니다. 좋은 일도 간혹 있습니다. 그러나 전체적으로는 암흑의 시간입니다.

20대라고 달라질 건 없습니다. 취업에 대한 불안과 공포 때문에 사랑을 꿈꾸지도 못하는 일이 이제는 일상사입니다. 지금의 어른들은 겪어보지 않았던 현실입니다. 돌아보니 나의 20대는 여러 면에서 독립적인 자아로 성장하기는 했지만, 여전히 불완전했습니다. 하고 싶은 일 많아도 정해진 일 주어진 보장은 없었습니다. 무엇보다 주머니가 비어있으니 그저 꿈으로만 남았습니다. 때로 현실에 안주하지 않고 도전해서 자신의 꿈을 이루는 이들도 없지는 않지만 그게 일반적인 일은 아닙니다. 30대와 40대는 가정을 이루고 아이들 키우고 가르치는 일이 최우선이었습니다. 부모로서 당연히 해야 할 일입니다. 그래서 정작 자신의 꿈은 여전히 미뤄둘 수밖에 없는 경우가 대부분입니다. 일에서의 성취감과 승진의 쾌감을 누리기는 했지만 50대가 되면 곧 은퇴해야 하는 두려움이 찾아옵니다. 그리고 그다음은 일과 경제뿐 아니라 관계에서 소외된 채 남은 삶에 대한 막막함을 감당해야 합니다. 몸은 이미 서서히 쇠퇴합니다. 그러니 나이 드는 게 두렵습니다.

그러나 달리 생각해보면, 나의 10대는 온갖 고민과 두려움 속에서도 나름대로 미래의 삶과 자아에 대해 고민하며 성취했고 20대는 그 나이가 주는 열정과 무모함이 뒤섞인 채 삶의 진로에 대해 구체적으로 모색하면서 불안 속에서도 가능성을 발견하는 기쁨을 누렸던 시기이기도 했습니다. 30대와 40대는 물론 가족을 부양해야 할 의무가 크기는 하지만 경제적으로 안정되기 시작했기에 청년일 때는 마음으로만 품던 것을 현실로 만들 수 있었습니다. 치른 의무와 값만 생각하니 그 시절이 아쉽기도 하지만, 누릴 수 있는 게 제법 많았습니다. 50대에는 어느 정도 기본적 의무에서 벗어나 미래를 위한 준비를 할 수 있는 시기이기도 했습니다. 성취감도 어느 정도 이룰 수 있었죠. 어렸을 때 꿈꾸던 삶을 다 충족한 것은 아니지만 그래도 보편적인 삶을 누렸습니다. 그게 일상적인 일이라서 고마움을 느끼지 못한 점도 있고, 의무감이 강하게 남아 부담을 느끼며 사느라 잘 모르고 넘어갔던 점도 꽤 많습니다. 60대는 그 자유를 조금씩 구체적으로 실천하고 누리며 관조의 즐거움이 무엇인지 조금씩 깨닫기 시작하고 있습니다. 그리고 삶의 의미에 대해 더 깊이 성찰하게 됩니다.

인간의 슬픈 숙명 가운데 하나는, 어리고 젊었을 때는 빨리 나이 들어 자신이 하고 싶은 것을 이루며 살고 싶어지고 나이 들면 못 이룬 꿈이 아쉽고 몸도 쇠잔해지면서 젊었을 때의 삶을 그리워하는 것입니다. 둘이 동시에 이루어지는 게 이상적이라고 할지 모르지만, 그 둘은 서로 떨어져 있습니다. 마치 북극곰과 펭귄처럼. 그 두 동물은 만날 수도 없고 만나서도 안 되는 관계입니다. 젊음과 나이 듦도 마찬가지인 듯합니다.

나는 지금의 나이가 좋습니다. 무엇보다 집착과 아집에서 벗어날 수 있다는 해방감이 좋습니다. 젊었을 때 그토록 싫어했던 어른들의 강요와 억압을 나름대로 조금씩 풀어낼 수 있으니 말입니다. 물론 어쩔 수 없이(?) 나이 든 테를 드러내기도 합니다. "나 때는 말이야~"어쩌고 하는 말을 입에 달고 살지는 않지만 어쩌다 '꼰대' 같은 말들을 툭툭 뱉는 걸 보고 화들짝 놀라기도 합니다. 하지만 조금은 쿨한 어른이 되려고 애씁니다. 잔소리하는 어른이 아니라 젊은이들에게 자유를 권하고 그들의 견해를 존중해주며 그 꿈을 실현하는 것을 거들어주고 싶어하는 '나이 든 것'이 되려고 합니다. 어른들이 그걸 해줬더라면 내 어리고 젊은 시절이 조금은 더 윤택했을 텐데 그때의 어른들은 근엄하고 무섭게 강요하기만 했습니다. 이제는 그 나이가 된 내가 조금이라도 그렇게 할 수 있는 입장이 되었으니 당연히 그 올무를 풀어주어야지요. 그게 나이가 주는 특권이기도 하니까요. 인색하고 좁은 판단이나, 타협하지 못하고 자신의 신념이라고 여기면 주저하지 않고 내치던 독선에서 이제는 자유로워졌습니다. 이 또한 나이 들어 누리는 혜택입니다.

　진부한 말이기는 하지만, 지식에 갇히지 않고 지혜의 너른 영토에 조금이나마 발을 들여놓은 것 또한 즐거운 일입니다. 지식 너머에 있는 삶과 세상의 본질을 읽어낼 수 있다는 것은 축복입니다. 그걸 깨닫기 위해 이만큼 살아왔으니 지금 이 나이가 어찌 행복하지 않을 수 있겠습니까. 물론 몸은 예전 같지 않습니다. 머리에 서리 앉은 지 오래고, 그토록 촘촘해서 빗도 제대로 들어가지 않던 머리칼도 이제는 나날이 성긴 탓에 섭섭하고 서럽기도 합니다. 노안 때문에 글 읽을 때마다 돋보기안경을 찾아야 하는 번거로움 또한 여간 성가신 게 아닙니다. 등산을 하거나 계단을 오르내릴 때마다 시린 무릎은 고통스럽고, 몸 여기저기가 조금씩 무너집니다. 그러나 따지고 보면 자연스러운 일입니다. 인간 평균 수명이 60세를 넘은 건 20세기가 처음이니 아마도 우리 신체 기관들은 대략 40대 후반쯤에 유효기간이 맞춰졌을 겁니다. 지금의 수명에 이나마 건강하게 사는 것도 다 의학, 약학, 위생, 섭생 등이 눈부시게 발전한 덕분이지요. 물론 운동 부지런히 하고 건강에 힘쓰며 건강진단 빼먹지 않고 몸의 상태를 체크하는 것이 이제는 의무가 된 덕택이기도 합니다. 어쨌건 몸이 쇠잔해지는 대신 생각이 섬세해지며 너그러워지고 감각과 감정은 외려 풍요로워지는 건 나이 들어가면서 얻는 선물입니다.

그런데도 자꾸만 외모가 늙어가고 신체의 기능이 떨어지니 보신과 성형 따위에 마음이 쏠립니다. 물론 성형을 통해 자신감을 얻고 사는 것도 좋겠지만, 몸의 주름마다 담긴 삶과 시간의 밀도를 사랑할 수 있으면 오히려 그게 더 아름답고 멋지지 않을까요? 문숙(文淑)이라는 배우가 은퇴 후 오랜만에 TV에 돌아왔을 때 그 곱던 얼굴에 주름이 자글자글한 것을 전혀 감추지 않고 오히려 당당하게 드러낸 모습이 참 보기 좋았습니다. 살아온 만큼, 자신의 나이를 그대로 받아내며 산다는 건 그만큼 자신의 삶에 자신이 있다는 뜻이기도 합니다. 물론 누구나 조금이라도 젊은 외모를 하루라도 더 오래 간직하고 싶겠지만 제 나이를 누리지 못한다면 그게 무슨 의미가 있을까 싶기도 합니다. 젊은 사람은 젊은 사람대로 나이 든 사람은 그 나름대로 지금 현재의 시간을 느끼고 누리며 살 수 있으면 족하다 싶습니다. 자신의 나이를 누리며 산다는 게 생각처럼 쉽지는 않습니다. 그러나 그래서 더 매력적이고 해볼 만한 일입니다.

세상은, 그리고 산다는 건 잃는 게 있는 만큼 얻게 되는 게 있습니다. 잃는 것에만 안타깝고 섭섭해 하면 정작 얻은 걸 보지 못합니다. 잃는 건 눈에 보이지만 얻은 건 눈에 보이지 않는 경우에는 더더욱 그렇습니다. 나이 들면서 시력은 잃겠지만, 심력(心力)을 얻는 걸 깨달으면 덜 섭섭할 뿐 아니라 고맙기 그지없습니다. 그걸 누리고 베풀 수 있다면 나이 들어가는 게 제법 멋진 일이 됩니다. 모든 나이는 제시간 나름으로, 그리고 제시간만큼 제 값이 있습니다. 그 값을 누릴 수 있는 걸 찾아내면 됩니다. 그 값을 누릴 수 있으면 나이 드는 게 그리 서럽지도 안타깝지도 억울하지도 않을 일입니다.

 햇살 한 컵

이 나이에 도착하기 위해
세상에서 가장 비싼 요금을 지불하며 살아왔다.
그러니 치른 값보다
더 많은 기쁨을 누리는 권리를
슬퍼할 까닭이 있겠는가.

욕망의 집이 아니라
필요의 집에서 삽니다

●

언젠가부터 '조물주 위에 건물주 있다'라는 말이 우리 시대의 특징을 담아내는 말로 자리를 잡았습니다. 장래 희망이 무엇이냐는 질문에 '건물주'라고 답하고, 노후 대책이 무엇이냐는 질문에도 '건물주'라고 답하는 세상입니다.

유명인들의 재테크를 소개하는 기사가 넘칩니다, 대부분 부동산 관련 내용입니다. 구매 이후 시세가 얼마나 올랐는지 상세히 소개합니다. '부동산 공화국, 아파트 공화국'이란 그리 자랑스럽지 못한 말이 '민주공화국'이란 말보다 현실에 더 가깝습니다. 고위 공직자도 국회의원도 다수가 '부동산 공화국, 아파트 공화국'을 만들고 혜택을 누리는 다주택자입니다. 건물주도 있고, 건설업자도 있습니다.

부를 쌓고 누리는 것이 죄악은 아닙니다. 누구나 풍요한 삶을 살 자격이 있습니다. 이왕이면 풍요롭게 사는 것이 좋습니다. 문제는 부동산을 통한 부의 축적이 자기 수고에 의한 것이 아니라, 모두를 위해 만들어진 사회 시스템의 혜택을 소수만 누린다는 데 있습니다. 특정 지역 부동산 가격이 높고 상승하는 것은 해당 지역이 가지고 있는 사회적 조건 때문입니다. 건물주가 만들어 낸 것이 아닙니다.

집은 삶을 위한 필수조건입니다. 의식주(衣食住)가 해결되어야 사람은 살 수 있습니다. 그러니 집에 집중하는 것이 문제는 아닙니다. 문제는 집이 투자를 넘어 투기의 대상이 되고, 욕망의 대상이 되어버린 것입니다. '부동산 시장'이란 말이 너무도 자연스럽게 들립니다. '시장(市場, market)'은 우리 삶을 위한 소중한 생활공간입니다. 하지만 우리 삶 전체가 시장이 될 수는 없고 되어서도 안 됩니다. 시장의 논리가 제일의 원칙인 것처럼 주장하는 사람이나 시스템은 경계해야 합니다. 우리 삶에는 시장에서는 살 수 없는 소중한 것들이 많습니다.

우리는 우리에게 필요한 것이 무엇인지 잘 안다고 생각합니다. 하지만 그것을 소유한 후에도 많은 경우 실망합니다. 소유하게 된 것이 우리를 완벽하게 만족하게 해주지 못합니다. 우리는 우리에게 필요하다고 생각하는 것을 넘어 우리에게 진정 필요한 것이 무엇인지 알지 못합니다. 진정 필요한 것이 무엇인지 알지 못하면, 소위 대세나 유행에 끌려다닙니다. 부동산이 대세라고 하면 부동산 구매에 올인합니다. 주식이 대세라고 하면 주식 투자에 영혼까지 끌어와 올인합니다.

오늘날 상품에 가치를 부여하는 것은 상품 자체의 효용이 아닙니다. 구매하고자 하는 사람의 '나는 다른 사람이 가질 수 없는 것을 갖고 있다'라는 감정이 가치를 부여합니다. 많은 사람이 소유하고 싶지만, 소수의 사람만 가능하다는 사실에서 발생합니다.

명품의 가격은 계속해서 오르고, 같은 지역에 있는 아파트도 브랜드에 따라 차이가 큽니다. 다른 사람에게 부러움의 대상이 된다는 사실이 우리의 소유욕을 자극합니다. 원하는 것을 손에 넣었을 때 아무도 부러워하지 않는다면 그 물건은 욕망의 대상이 되지 못합니다. 마음 깊은 곳에서 허무함이 몰려오게 되고 또다시 새로운 욕망의 대상을 찾아 나섭니다. 이것이 돌고 도는 현대인의 소비 패턴입니다.

욕망과 자본이 지배하는 사회는 인간의 자유나 사람됨에는 관심이 별로 없습니다. 그의 소유물과 그가 속한 집단, 계층에 관심이 있습니다. 중요한 것은 인간 자체가 아니라 그가 가진 구매력입니다. 기업이 생산력을 증가시킬수록 판매와 이익도 함께 증가해야 합니다. 그러기 위해서는 소비자들이 필요하지 않더라도 많은 것을 바라고 욕망하도록 만들어야 합니다.

욕망과 자본이 지배하는 세상에서 가난한 사람들은 못난 사람과 실패한 사람으로 취급됩니다. 그들은 구매력이 없기에 집중 받지 못합니다. 그래서 가난한 사람들이 당면하는 문제는 사회에서 우선시되지 않습니다. 이처럼 우리가 사는 세상은 '민주공화국'보다는 '욕망공화국'에 가깝습니다. 욕망을 지배하는 공간은 상호부조가 존재하는 공간이 아닙니다. 자신을 위해 많은 것을 가지려 한다면 이웃을 위해 많은 것을 해줄 수 없습니다.

'필요와 욕망' 사이에서 발생하는 혼돈, 이것이 우리가 실제 삶에서 경험하는 혼돈입니다. 살기 위한 집을 찾는 것인지, 사고 팔기 위한 집을 찾는 것인지. 집을 소유한 사람도, 소유하지 않은 사람도 현재 상황에 만족하지 못하고 불만이 가득합니다.
우리는 무언가를 계속 바라며 삽니다. 많은 경우 우리는 바라는 것이 무엇인지도 잘 모릅니다. 그럼에도 우리는 그것이 필요하다고 합니다. 집을 소유하고 있음에도 또 다른 집이 필요하다고 하고, 필요를 위한 집이 아님에도 필요하다고 합니다. 두 집에서 동시에 살 수 없음에도 또 다른 집이 필요하다고 합니다.

욕망은 우리가 살아가기 위해 꼭 필요한 것입니다. 식욕이 없어 먹지 않는다면, 우리는 살 수 없습니다. 이처럼 욕망은 원래 우리는 돕는 하인입니다. 그런데 지금은 무절제하고 난폭한 폭도가 되었습니다. 과유불급(過猶不及)이라고 했습니다. 지나치면 못 미침과 같습니다. 욕망이 지나치면 채워진 필요도 제대로 보지 못합니다.

재산이 나름대로 정한 최소한의 수준 이하로 떨어졌다는 이유로 자살하는 이들이 있습니다. 쪼들리며 사느니 죽는 편이 낫다고 생각하기 때문입니다. 하지만 그들을 절망에 빠뜨린 그 최소한의 수준이 다른 사람들, 욕심이 덜한 사람에게는 그런대로 받아들일 만하고, 검소한 사람에게는 선망의 수준이었을 수도 있습니다.

인도나 태국에 가면 조그만 기둥에 가는 쇠사슬로 1,000kg이 넘는 육중한 코끼리를 붙들어 맨 광경을 봅니다. 코끼리가 어렸을 때 가는 쇠사슬로 묶어 아무리 힘을 써도 벗어날 수 없게 만들었습니다. 어린 코끼리는 이 쇠사슬을 영원히 벗어날 수 없는 족쇄로 인식하게 되고, 1,000kg이 넘는 거구로 성장했을 때도 여전히 쇠사슬에 묶여 있게 됩니다. 조금만 힘을 쓰면 바로 쇠사슬을 끊어버릴 수 있지만, 생각조차 하지 않습니다.

습관의 힘이 이만큼 무섭습니다. 일단 어떤 사고에 익숙해지면 특별한 자극을 받지 않는 이상 바꾸려 하지 않습니다. 부지런히 생각하고 자성하는 사람을 제외하면, 대부분 어려서부터 익숙해진 습관에 따라 생활하고 사람들을 대합니다. 설령 삶의 방식에 문제가 있음을 발견한다고 하더라도 꼭 그것을 고치려 하지 않습니다. 고치려 하면 고칠 수 있는데도 말입니다. 습관의 힘이 대단하지만, 고치고 새롭게 할 수 있습니다.

집이 필요를 넘어 욕망의 대상이 되었습니다. 집이 사는 곳이 아니라, 사고파는 물건이 되었습니다. 그 지역에 살지도 않고 살 것도 아니면서 전화로 매물을 알아보고 계약하는 사람들이 있습니다. 자신이 살 집이라면 그렇게 구매하지 않습니다. 잠시 살 집을 찾을 때도 집을 방문해 이곳저곳을 살펴봅니다.

욕망을 자극하는 세상에서 태어나 살아왔으니 어쩔 수 없다고 말해서는 안 됩니다. 세상 탓할 것 없이 내가 나의 삶을 선택하면 됩니다. 솔직히 자신을 점검해 보면 됩니다. 살고 싶은 집을 찾고 있는지, 사고팔고 싶은 집을 찾고 있는지. 욕망의 집을 찾고 있는지, 필요의 집을 찾고 있는지 말입니다.

오늘은, 익숙한 맛의 커피 한잔으로 하루를 마셔야겠습니다. 장기하의 노래 속에 등장하는 싸구려 커피여도 괜찮습니다. 커피면 됩니다.

🦋 바람 한 모금

욕망 없이 살 수 없지만,
욕망을 따라 사는 것은
인간이 아니어도 한다.
인간이라면
인간이 사는 집을 찾아야 한다.

물은 머물지 않습니다

●

　노자(老子, 미상~미상)의 《도덕경》에 유수부쟁선(流水不爭先), 즉 흐르는 물은 앞을 다투지 않는다는 말이 있습니다. 욕속즉부달(欲速則不達), 즉 빨리만 가려 서둘면 도달하지 못하는 수도 있다는 말도 비슷합니다. 노자는 유난히 '물'을 좋아했던 듯합니다. 상선약수(上善若水, 가장 좋은 것은 물과 같다)가 노자의 핵심인 걸 보면 그걸 확실하게 느낄 수 있습니다.

　물에서 배울 것, 생각할 것이 꽤 많습니다. 무엇보다 물은 정해진 형태가 없습니다. 고체, 액체, 기체에 따라 형태가 변한다는 상투적 의미가 아닙니다. 물은 변화무쌍합니다. 심지어 고체도 기온의 변화에 따라 그 형태는 변화합니다. 액체도 어디에 어떻게 있느냐에 따라 달라집니다. 둥근 그릇에 담기면 그 그릇의 형태로, 강을 흐를 때는 강의 모양으로 변화합니다. 자신에게 맞추라고 요구하는 게 아니라 상대에게 완벽하게 맞춥니다. 물론 물도 화가 나면 자신의 힘으로 모든 것을 휘어잡고 변화시킵니다. 오죽하면 '불 끝은 있어도 물 끝은 없다'는 말이 나오겠습니까? 집중호우로 계곡과 개울로 쏟아지는, 그야말로 물 폭탄을 보면 그 위세를 실감할 수 있습니다.

그러나 물은 바쁘지 않습니다. 그렇다고 게으르지도 않습니다. 만나게 되는 물길의 상태에 맞추면서 때론 빠르게 때론 느긋하게 그러나 꾸준히 흐릅니다. 물의 가장 큰 미덕은 겸손입니다. 낮은 곳으로 흐르는 겸손입니다. 물은 늘 꾸준히 '걸어'갑니다. 저는 '물이 걷는' 모습이 참 보기 좋습니다. 호수나 저수지에 있다고 물이 정지한 것은 아닙니다. 물은 끊임없이 움직입니다. 멈추는 순간 그것은 이미 죽은 물입니다. 흐르는 물은 서로 앞서 가겠다고 다투지 않습니다. 목적지가 어디인지 알기 때문은 아닐 겁니다. 경사가 가파르면 내달리고 완만한 지형에서는 천천히 흐릅니다. 물은 끊임없이 흐르는 게 제 본분이기에 서둘 까닭이 없을 뿐입니다. 자기만의 물줄기를 고집하지 않고 다른 갈래에서 흘러들어오는 물도 가리지 않고 품으며 섞입니다. 서로 다른 물이지만 금세 하나의 물줄기로 흘러갑니다. 그러니 굳이 앞을 다툴 까닭이 없습니다.

물의 또 다른 미덕은 지혜입니다. 굳이 직진에만 매달리지 않습니다. 막히면 돌아갑니다. 물이 걸어가는 모습은 유장(悠長)합니다. 유장하다는 것은 급하지 않고 느릿하다는 뜻입니다. 그 모습을 바라보고 있으면 바쁜 영혼도 덩달아 차분해집니다. 호수에 잠긴 물을 바라보고 있으면 차분해집니다. 거센 파도를 바라볼 때는 가슴 속에서 무언가 차오르는 격동을 느낍니다. 같은 물인데, 같은 사람인데 모양에 따라 서 있는 위치와 처지에 따라 다른 느낌입니다. 물은 멈추거나 하나의 형태를 고집하지 않기 때문입니다.

물은 포용의 미덕도 갖추고 있습니다. 탁한 물도 구정물도 다 품어줍니다. 물은 우리를 깨우칩니다. 어떤 상황에서도 먼저 맞추려고 노력하라고, 그리고 무엇보다 흘러갈 길은 스스로 찾도록 하라고 가르쳐줍니다. 끌려가는 게 아니라 자연스럽게 맞추며 감응(感應, correspondence)하는 것이 그리 쉬운 일은 아니겠지요.

'자연스럽다'는 건 어쩌면 '천천히 걷는 것'과 가장 가깝습니다. 서둘지 않고 흘러갈 길을 찾는 것은 물로서는 쉬울지 모르지만, 삶에서는 그리 쉬운 일은 아니겠지요. 매 순간이 전투와도 비슷한 삶에는 그런 '강 건너 불' 같은 말은 야속할 뿐입니다.

그래도 가끔은 기억해야 할 교훈입니다. 머리와 가슴에 기억하고 있어야 몸이 그것을 따라갑니다. 머리에 가슴에 없는데 몸이 따라가는 건 옳고 그름을 가리지 않고 남이 시키는 대로 덮어놓고 따르는 것과 다르지 않습니다. 물의 본질은 모르면서 물처럼 살아가라고 하는 것만큼 어리석은 게 어디 있겠습니까.

우리는 물에서 융통성을 배우기도 합니다. 어떤 그릇에도 담기는 점에서 그렇습니다. 융통성은 조급하지 않는 것이기도 합니다. 물은 유유히 흐르다가도 둑이나 댐을 만나면 잠시 숨을 고릅니다. 억지로 그것을 넘어가려고 무모하게 대들지 않습니다. 뒷물이 차고 올라 넘어갈 때까지 기다립니다. 기다리지 못하는 물은 졸졸 새는 틈으로 빠져나가 뒷물이 차고 오르도록 하지 못합니다. 물은 항상 있어야 할 곳에 있습니다. 아니, 있어야 할 곳에 있는 물이어야 살아있는 물이라고 하는 게 옳겠지요. 머물러도 유유히 제 몸 움직이며 흘러도 앞을 다투지 않는 물의 속성은 어쩌면 삶의 내밀한 일관성과도 같습니다.

물은 또한 과감할 때는 주저하지 않고 온 몸을 던집니다. 장엄한 폭포처럼 투신하는 용기를 물이 가르쳐줍니다. 폭포는 물이 번지 점프하는 장소입니다. 물길이 끊기고 더 이상 나아가지 못하면 의연하게 뛰어내립니다. 우리가 온갖 사소한 일 앞에서 머뭇거리고 결심하지 못하며 주저하고 방황하는 것과는 너무나 대조적입니다.

물은 인내와 끈기를 깨우쳐주기도 합니다. 물은 가장 약한 사물 가운데 하나인데 바위도 뚫어냅니다. 수적천석(水滴穿石)이란 말이 바로 그것입니다. 물방울이 바위를 뚫는다는 뜻이지요. 우리 속담에도 낙숫물이 댓돌 뚫는다는 말이 있습니다. 물방울이 돌을 뚫는다는 건, 작은 노력이라도 끊임없이 계속하면 큰일을 이룰 수 있다는 뜻입니다. 물이 쌓이면 못을 이룬다는 수적성

연(水積成淵)도 비슷한 뜻입니다. 서둘면 오히려 일이 어그러질 뿐입니다.

　모든 물은 궁극적으로 바다로 흘러갑니다. 설령 어딘가에 갇혀서 바다에 이르지 못해도 다른 물이 바다로 흘러가도록 제 몸 깔아 도와줍니다. 유유히 바다로 흘러가는 물의 미덕은 그런 점에서 끝까지 대의를 버리지 않는 것이라 하겠습니다.
　이처럼 물의 다양한 변화와 거기에서 얻을 지혜는 엄청나게 많습니다. 그러나 우리가 진정 물에서 배워야 할 건 어떠한 변화에서도 물의 본성과 본질을 놓지 않는다는 점이 아닐까 싶습니다. 형태가 어떻건 처지가 어떻건 물은 자신의 고유한 성질을 버리지 않습니다. 그것을 버리지 않는 한 서둘 까닭이 없고 다툴 이유가 없습니다. 여유와 너그러움은 누가 주는 것이 아니고 환경이나 상황이 만들어주는 것이 아니라 자신의 본질을 간직하고 있다는 당당함에서 오는 것인 듯합니다. 천천히 흐르는 물이 그것을 깨우쳐줍니다.

　노자가 상선약수를 궁극의 가르침과 깨우침으로 삼은 것은, 이러한 여러 미덕이 함축된 뜻이기도 합니다. 그런데 저는 이러한 물의 미덕들의 바탕은 '걷는 물'이라고 생각합니다. 천천히 걷는 물이 아름답습니다. 삶도 그렇게 걸을 때 조금은 더 윤기 나겠지요. 오늘 저녁, 잠깐 산책이라도 다녀와야겠습니다. 흐르는 물처럼. 고이지 않게. 오래오래 걸을 수 있도록.

물은 모든 것을 품는다.
물은 모든 것을 내놓는다.
그렇게 물 같은 사람이면
그저 잠깐 지상에 머물다 떠나도
아쉬울 게 없을 듯하다.

오늘 또다시 나를 위해
은퇴하기로 했습니다

●

　　나이 듦을 생각하면 자연스럽게 연결되는 것이 '은퇴'입니다. '은퇴'의 사전적 의미는 '직임에서 물러나거나 사회 활동에서 손을 떼고 한가히 지냄'입니다. 그런데 은퇴의 모습은 참 다양합니다. 사람마다 은퇴의 모습이 다릅니다. 젊은 나이에 은퇴하는 이들도 있습니다. 운동선수들이 대개 그렇습니다. 20대에 은퇴하는 이들도 있습니다.

　　전통적으로 은퇴는 직업이나 일의 종결을 의미하지만, 은퇴 후에 시간제 일을 가짐으로써 부분적 은퇴, 처음부터 실업 상태에 있어서 은퇴하지 않은 은퇴, 자신이 하던 일이나 직업에서 물러난 완전한 은퇴, 정년에 앞서 조기에 은퇴하는 명예퇴직 등 최근에는 은퇴의 모습이 다양해졌습니다.

은퇴와 비슷하지만 분명한 차이가 있는 것이 '퇴직'입니다. 단순히 직장을 그만두는 것을 의미하는 퇴직과 은퇴 사이에는 분명히 차이가 있습니다. 퇴직은 구직으로 이어지지만, 은퇴는 새로운 삶의 여정으로 이어집니다. 자발적이든 비자발적이든 은퇴는 삶의 여정에서 경험하는 큰 충격입니다. 그래서 은퇴를 부정적으로 여기는 이들이 많습니다.

하지만 은퇴는 유익한 충격입니다. 은퇴라는 충격적인 경험(trauma)은 자기가 걸어온 삶의 여정을 평가할 기회를 제공합니다. 은퇴할 때 떠오르는 삶의 질문들이 있습니다. "지금까지 내가 살면서 한 일은 무엇인가? 내 인생의 의미는 무엇이었나? 나는 무엇을 위해 살아왔나? 내 인생에서 가장 중요한 것은 무엇이었나?" 이런 질문들은 은퇴 전의 삶을 돌아보고 평가하게 할 뿐 아니라 은퇴 이후 삶을 어떻게 살아야 할지 전망하고 계획하게 합니다.

은퇴는 단절된 사건이 아닙니다. 은퇴는 삶의 다음 단계로 나아가는 점진적이고 역동적인 과정입니다. 삶의 여러 면에서 변화를 경험하는 과정입니다. 은퇴를 어떻게 이해하느냐에 따라 은퇴 이후의 삶이 달라집니다. 사람은 자기 생각을 따라 살아갑니다. 생각한 그대로 모든 것을 이루며 사는 것은 아니지만, 생각하지 않은 것을 이루며 사는 경우는 훨씬 더 적습니다.

은퇴에 대해서도 마찬가지입니다. 자신에게 은퇴가 어떤 의미인지, 어떻게 느끼는지, 어떤 생각을 하는지에 따라 다른 모습의 은퇴를 만납니다. 사람마다 은퇴의 의미가 다르고, 시간에 흐름에 따라 그 의미가 바뀌기도 합니다.

사회적 측면에서 은퇴는 하나의 사회적 역할에서 다른 사회적 역할로 이동하는 것으로 봅니다. 은퇴란 인간의 발달과정에서 발생하는 자연스러운 현상이며, 생애주기의 주요한 변화입니다. 적응을 잘한 은퇴자와 적응을 제대로 하지 못한 은퇴자의 차이는 큽니다.

적응을 잘한 은퇴자에게 은퇴는 여유와 즐김의 시간이지만, 적응을 제대로 하지 못한 은퇴자에게 은퇴는 단절과 혼돈의 시간입니다. 적응을 잘한 은퇴자(에게)는 은퇴가 많은 시간적 여유, 편안하고 안락한 생활, 자신이 선택한 여러 가지 여가를 즐기는 시기, 새로운 직업을 갖는 시기입니다. 하지만 적응을 제대로 하지 못한 은퇴자에게 은퇴는 일상의 변화로 우울감, 대인관계 단절에 따른 외로움, 역할의 변화에 따른 자기 정체감(自己正體感, identity)의 혼돈과 고립감을 느끼는 시기입니다.

은퇴라는 개념은 19세기 말 20세기 초에 등장했습니다. 공식적으로 은퇴 제도를 만든 최초의 국가는 1889년 독일이었습니다. 공식적인 은퇴 연령은 50세에서 70세까지 나라마다 다릅니다. 연금이 고갈되는 것을 막고 세금을 더 내게 하려고 은퇴 연령을 점점 올리고 있는 나라도 있습니다. 긴 인류의 역사에서 은퇴가 최근에 등장한 것은, 은퇴할 사람이 별로 없었기 때문입니다.

인류사를 통틀어 최대 사인은 질병이나 상처로 인한 각종 감염이었습니다. 현대의 위생과 항생제가 있기 전에는 기대수명이 짧았습니다. 20세기 이전에는 거의 모든 가정이 자식의 죽음을 보아야 했습니다. 1900년 전까지만 해도 65세가 넘도록 산 사람이 남녀 각각 39%와 43%에 불과했습니다. 하지만 1997년에는 그 비율이 남녀 각각 77%와 86%로 배가했습니다.

20세기에 들어설 때만 해도 상위 3대 사인은 폐렴과 독감, 결핵, 위장염(설사와 장염) 등 모두 감염이었고 전체 사망의 30%가 이에 해당했습니다. 그런데 수질 관리, 식품 검사, 항생제, 현대 치의학, 아동 예방접종 등이 갖추어진 1990년에는 현저히 달라져 더는 높은 비율의 인구가 감염으로 죽지 않았습니다.

1990년에 전체 사망의 60%를 차지한 상위 3대 사인은 심장 질환, 암, 뇌졸중이었습니다. 오늘날의 최대 사인은 "심장혈관 질환(28.2%), 암(22.2%), 뇌졸중(6.6%), 만성 폐 질환(6.2%), 알츠하이머병(4.2%), 당뇨병(2.9%), 독감과 폐렴(2.6%), 사고로 인한 부상(2.2%)입니다. 상위 5대 사인은 인간의 수명이 길어진 결과입니다. 이제 사람들은 젊은 나이에 감염으로 죽지 않습니다.

특별한 경우가 아니라면, 이제는 거의 모두가 삶의 여정에서 은퇴를 경험합니다. 이제는 잘 사는 것에 잘 은퇴하는 것이 포함되어 있습니다. 은퇴의 성공 여부는 은퇴하기 전에 자기 자신을 얼마나 잘 지었느냐에 달려 있습니다.

삶의 많은 부분은 연속적입니다. 은퇴 이후의 삶이 자유롭고 사회적 관계가 넓고 풍요롭고 여가활동이 왕성하려면, 그런 삶을 만들어가야 합니다. 삶의 내용은 하루에 채워지고 만들어지지 않습니다. 축적과 숙련, 숙성의 시간이 필요합니다.

오늘 내가 누구인가에 따라 은퇴 후 나의 모습이 결정됩니다. 오늘 내가 무엇을 했느냐에 따라 은퇴 후 내가 무엇을 할지 결정됩니다. 오늘 내가 누구를 만났느냐에 따라 은퇴 후 만날 사람이 정해집니다.

은퇴할 때 하게 되는 질문들은 오늘 나에게 해야 하는 질문이기도 합니다. "지금까지 내가 살면서 해온 일은 무엇인가? 내 인생의 의미는 무엇인가? 나는 무엇을 위해 살고 있나? 내 인생에서 가장 중요한 것은 무엇인가?"

어쩌면 우리는 매일 은퇴하며 사는 존재일 수도 있습니다. 지나가는 오늘은 돌아오지 않습니다. 그러니 돌아오지 않는 오늘에 애써 머물려고 해서는 안 됩니다. 인생의 아침에 세운 계획으로 인생의 오후를 살 수는 없습니다. 아침에 중요했던 것이 오후에는 보잘것없어지고, 아침에는 진리였지만 저녁에는 거짓이 될 수 있습니다.

그래서 매일 새롭게 자신에게 질문해야 합니다. 그래야 오늘도 은퇴 후에도 내가 살고 싶은 삶을 삽니다. 삶의 여정이 이러하기에 나는 오늘 또다시 나를 위해 은퇴하기로 했습니다.

오늘은, 커피의 고향에서 온 커피의 귀부인 에티오피아 예가체프를 마셔야겠습니다. 향긋한 레몬향과 부드럽고 달콤한 산미의 커피. 이어진 수많은 커피들에 자리를 내어주면서도 자신의 자리를 지키고 있는 커피와 함께 하루를 마십니다.

🦋 바람 한 모금

물러나야 할 때 물러나야,
머물러야 할 때 머물 수 있다.
밀물과 썰물이 그렇듯이
인생도 그렇다.

야생 커피의 고향 에티오피아 예가체프 지역 고지대에서 재배하는 커피다. 가장 세련된 맛을 가졌다고 해서 '커피의 귀부인'이라 불린다. 부드러우면서 짙은 꽃향기, 목 넘김 이후에 남는 아련한 향, 부드러운 바디, 달콤한 신맛 등 최고의 커피라 부르는 이유가 많다. 한 가지 매력만으로 오랫동안 승자가 되기는 어렵다.

CHAPTER 05

흰 눈이 소담하게 내리는 날

• 초연한 나무처럼

한 그루, 당당한 나무처럼

　참으로 답답했을 겁니다. 캄캄한 흙 속에서 딱딱한 껍질을 뚫고 어렵사리 싹을 꺼내고 마침내 땅 밖으로 나설 때까지 씨앗은 그랬을 겁니다. 땅 위에서 싹이 어린 것 젖니처럼 가녀리게 손을 뻗더니 제법 버틸 만한 줄기가 되고 다시 가지를 내는 데까지 또 많은 시간을 견뎌야 하니 그 또한 만만한 일은 아니었을 겁니다. 그뿐인가요? 깊이 내린 뿌리는 나무를 버텨주는 든든한 힘이 되지만 한 발짝도 떼지 못하고 평생을 한 곳에만 머물러야 하니 얼마나 답답할까요? 나무를 볼 때마다 그 천형 (天刑)에 숙연해집니다.

　나무는 의연합니다. 그리고 겸손합니다. 제 살 공간 이상을 탐하지 않습니다. 동물처럼 제 살 방도 때문에 물어뜯고 숨통을 조이는 일도 하지 않습니다. 물론 영역 다툼이야 동식물 가릴 것 없이 모든 생물에 공통적이겠지만 적어도 나무는 옆에 다른 나무라도 있으면 그쪽으로 가지와 잎을 내지 않고 비켜주며 오릅니다. 누가 주목하지 않아도 모든 계절 받아내며 속으로 여물게 제 나이테로 받아냅니다. 그렇게 한 켜씩 견고한 내적 옹이를 마련하면서 서서히 자라고 버팁니다.

어떤 나무는 곧게 자라 사람들에게 집을 지어주고 가구를 만들어주며 제 몸을 아낌없이 내줍니다. 못생긴 나무는 사람들에게 외면당하지만 그래서 산을 묵묵히 지켜냅니다. 어떤 나무는 오래 삽니다. 시골 동네의 넉넉한 몸채의 느티나무들은 대개 수백 년 수명을 자랑하고 심지어 어떤 나무들은 천년 넘게도 삽니다. 아무리 장수하는 동물들도 100년을 넘기기 어렵지만, 나무는 거뜬히 그 시간 이겨내며 끝까지 당당하게 서 있습니다. 마을 어귀에 노거수는 뜨거운 여름날 동네 사람들 불러 모아 넉넉한 그늘 마련해주며 휴식을 줍니다.

어떤 나무는 '살아 천 년, 죽어 천 년'의 미덕을 지니기도 합니다. 죽어서도 당당하게 제 몫을 하는 나무를 보면 성찰할 게 참 많아집니다. 모든 나무는 죽어서도 쓰임이 있습니다. 목재로건 땔감으로건 묵묵히 제 몫을 다 내어줍니다. 살아있을 때 온갖 권력과 부를 움켜쥐고 휘둘러 그 앞에서 사람들이 벌벌 떨게 했던 이들 가운데 죽은 뒤까지 존경과 추모로 기억하는 이가 얼마나 될까요? 머무른 자리도 아름다워야겠지만 '머물렀던' 자리도 아름다워야 하겠습니다.

동물인 사람이 어찌 한 장소에만 갇혀 살 수 있겠습니까? 부지런히 움직여야 살아갈 수 있습니다. 사람이 어찌 '일용할 양식'에만 만족할 수 있겠습니까? 불확실한 미래를 위해 최대한 모아서 대비해야 합니다. 그건 과도한 욕망이 아니라 생존의 본능입니다. 문제는 절제하지 못하는 욕망에 굴복해서 조금의 망설임도 없이 타인의 불행을 불러와도 나의 행복만 채워진다면 마다하지 않는 탐욕입니다. 나무에게 배워야 할 게 많습니다.

나무 하면 떠오르는 작품이 있습니다. 아동문학가이며 작곡가이기도 했던 쉘 실버스타인(Shel Silverstein, 1930~1999)의 《아낌없이 주는 나무》입니다. 한 그루의 나무가 있었습니다. 소년은 그 나무를 무척이나 사랑했습니다. 나무는 소년의 행복을 위해 자신의 모든 것을 아낌없이 내주었습니다. 소년이 청년이 되고, 세월이 더 흘러 노인이 되었습니다. 나무는 더 이상 내줄 게 없었습니다. 시원한 그늘도 목재도 더 이상 줄 게 없었습니다. 이제는 밑동만 남은 그루터기, 그러니까 이미 죽은 나무는 그 노인이 앉아 쉴 자리를 내주었습니다. 나무는 여전히 그곳에서 아낌없이 자신의 모든 것을 내주었던 겁니다. 어쩌면 그 나무는 어머니의 모습과도 같습니다.

나무는 불어오는 바람을 품어 도닥이되 붙잡아 매지 않고 곧 풀어줍니다. 바람이 너무 거세다 싶으면 기꺼이 부러질 만큼 흔들리며 눅여줍니다. 그렇게 숲은 나무들의 조화로운 합창으로 자연의 심포니를 연주합니다. 거센 바람이 지나고 나면 아무 일 없다는 듯 다시 깊은 침묵으로 연대합니다. 뒷담화도 없고 불평도 없습니다.

종류가 다른 여러 나무가 어울려 숲을 이룹니다. 때로 거대한 나무는 그 한 그루만으로도 거대한 숲을 만들어줍니다. 전에 살던 아파트는 3층이었는데 튼실한 감나무 한 그루가 그 높이까지 자랐습니다. 가지도 잎도 풍성해서 베란다 창을 거의 가득 채웠습니다. 그 한 그루가 마치 숲처럼 보였습니다. 가을에는 감이 주렁주렁 매달려 장관이었고 겨울이면 눈꽃을 피워내는 황홀함을 그대로 선물했습니다. 한 그루의 나무가 그 집에 사는 여러 해 내내 우리를 행복하게 해줬습니다. 나무 한 그루도 그럴진대 나는 누군가에게 그런 나무일 수 있을까 싶어서 부끄럽기도 하고 마음을 다잡기도 했습니다. 한 그루 나무가 숲 자체일 수 있음을 그때 알았습니다.

어느 유명한 절 마당에 천 년 된 은행나무가 여전히 당당하게 서 있습니다. 볼 때마다 숙연해집니다. 절을 찾은 수많은 사람이 그 나무를 바라봤겠지요. 우리가 알지도 못하고 본 적도 없는, 몇백 년 전의 사람들이 그 나무를 보며 무슨 생각을 했을까요? 그 사람들은 모두 지상에서 사라졌지만 나무는 여전히 당당하게 서 있습니다. 오래 살아서 부러운 게 아니라, 찾아오는 모든 사람의 염원과 하소연을 들어주고 속으로 복을 빌어주는 나무의 삶을 배울 수 있기에 그 나무 앞에 서면 늘 마음이 경건해집니다.

나는 누군가의 아픔을 경청하고 희망을 들어준 적이 얼마나 있는지, 또 그 시간에 얼마나 충실했는지 돌아봅니다. 나무처럼 살 수만 있다면 좋겠습니다. 아무도 그 나무 이름 몰라도 속상하지 않고 누가 껴안아도 도닥일 수 있는 그런 나무 같은 사람이라면 높은 자리 두툼한 지갑이 없어도, 명예를 조금도 누리지 못해도 좋을 듯합니다. 그런 사람이 진짜 '성공'한 사람입니다. 삶은 지위나 재산으로 평가되는 게 아니라 태도와 가치로 잴 수 있어야 사는 맛이 납니다. 나무처럼 살고 싶습니다. 여러 해 전 충청도 서산의 해미에 마련했던 작업실 당호를 '수연재(樹然齋)'로 정한 것도 '나무처럼'이라는, 그런 뜻이었습니다. 그러나 쉬운 일이 아닙니다. 쉽게 마음이 뒤집어지고 별것 아닌 것에 마음 상하는 처지임을 스스로 잘 압니다. 그래도 한 걸음씩 나무 곁으로 가려 합니다. '어린왕자'가 살고 있는 B612별을 엉망으로 만든 골칫덩어리 바오밥나무도 사실은 땅을 지켜주고 초원을 버텨주는 고마운 나무입니다. 세상에 나쁘거나 못된 나무는 없습니다. 나쁘고 못난 인간은 있지만.

나무는 스스로 뻐기거나 재지 않습니다. 그저 묵묵히 제 자리 지키며 겸손하되 당당하게 존재합니다. 그 나무 그늘에 잠시 멈춰 쉬며 나무처럼 살아야겠다고 새삼 다짐해봅니다.

햇살 한 컵

뿌리를 내리지 못하는 나무는 존재하지 않는다.
나무처럼 살고 싶으면
먼저 어디에 뿌리를 내릴지 깊이 생각해야 한다.

언어의 무게,
허튼소리와 근언신행 謹言愼行

●

중국 출판계에서 있었던 일입니다. 한 작가가 모임에 참석했는데, 지위가 높은 중년 편집장이 혼자서만 30분을 말했답니다. 대부분 자신의 화려한 경력을 자랑하는 내용이었는데, 그 자리에 있던 대다수 사람은 지겨워하면서도 그의 체면을 고려해 말을 막지 않았습니다. 편집장은 그것을 깨닫지 못했습니다. 결국, 작가가 나서서 '정리'를 한 뒤에야 상황이 종료되었습니다. 체면을 중시하는 유교 문화권에서는 흔히 있는 장면입니다. 흔히 있는 일이니 그냥 지나칠 수도 있습니다. 운 없이 내게 그런 일이 벌어지지 않도록 조심하면 그만이라고 생각할 수 있습니다. 그런데 그렇게 단순한 일이 아닙니다.

30분이란 짧지 않은 시간 동안 말은 있었지만, 대화는 없었습니다. 계속 들리는 소리는 있었지만, 전달되는 의미는 없었습니다. 제대로 된 말이 없으면, 우리의 시간은 의미 없는 시간이 되고 맙니다. 소통과 공유가 없는 허튼소리는 온전한 언어가 아니라 파괴된 언어입니다. 귀 기울여야 하는 말이 아니라 잡음입니다. 작가이자 철학자인 막스 피카르트(Max Picard, 1888~1965)의 표현을 빌리면 '잡음어'입니다. 그저 자기만을 드러내는 꼰대의 소리는 파괴된 언어, 잡음어의 대표입니다.

막스 피카르트가 명쾌하게 이야기하듯 인간은 말의 주인입니다. 하지만 잡음어의 하인이기도 합니다. 속이 비어버린 언어인 잡음어는 단지 사물의 잡음일 뿐, 사물에 부가되는 다른 그 무엇도 아닙니다. 이럴 때 말과 사물, 그리고 말과 인간은 서로 마주 보지 않습니다. 이렇게 잡음어에는 자아와 상대방이 없습니다. 본래 언어가 지닌 의미와 생명을 잃어버린 파괴된 언어는 우리의 대화를 무너뜨리고 우리 삶의 의미마저 파괴합니다.《인간과 말》(Der Mensch und das Wort)에서 피카르트가 이야기하듯 인간과 사물이 만날 때 언어는 하나의 사건, 하나의 행위입니다. 인간은 사물을 껴안습니다. 인간은 영혼으로 사물을 껴안습니다. 그래서 영혼이 사물의 진리를 살아 있는 것으로 만듭니다. 하지만 인간과 사물이 만나지 않으면, 사물과 인간 사이에는 특별한 행위가 일어나지 않습니다. 그러면 정신도 영혼도 사물을 지칭하는 말속으로 스며들지 않습니다. 말은 그저 소리일 뿐, 단지 잡음어로만 머물게 됩니다.

기호 언어학자인 롤랑 바르트(Roland Barthes, 1915~1980)는 "언어는 파시스트"라는 말로 언어의 권력적 측면을 갈파했습니다. 바르트는 언어는 우리의 무의식을 만들고, 우리는 그 언어의 창을 통해 세상을 바라볼 수밖에 없으며, 특정 계급과 특정 언어의 밀착 관계 때문에 권력의 수직적 위계질서가 고착된다고 했습니다. 이를 피하고자 바르트는 언어가 권력을 행사하려 들 때마다 그 언어를 버리고 권력이 우리를 이용할 수 없는 다른 자리로 끊임없이 이동해야 한다고 했습니다. 언어가 품고 있을지도 모를 권력의 구조적 폭력성을 극복하기 위해 잘못된 언어 표현을 끊임없이 따져봐야 함을 강조했습니다. 누구나 꼰대의 소리를 할 수 있습니다. 참말이 아니라 허튼소리를 할 수 있습니다. 허튼소리를 계속하면서도 참말을 하고 있다고 착각할 수 있습니다. 자타가 인정하는 말의 전문가여도 허튼소리를 할 수 있습니다.

선인들이 전하는 지혜 중에 '말을 삼가고 행동을 조심하라'는 뜻을 담은 '근언신행(謹言愼行)'이 있습니다. 인생에서 어느 정도 나이가 들어 조직의 중요 인물이 된다면 특히 언행(言行)을 조심해야 합니다. 주변의 사람들이 자신의 말에 집중한다고 해서 자신의 말이 참말일 것이라 착각해서는 안 됩니다. 체면 때문에 어쩔 수 없이 장시간 윗사람의 허튼소리를 참고 들어야 하는 경우가 흔합니다. 바로 이런 이유로 윗사람에 대한 부정적인 태도가 더 강렬해지기도 합니다. 그래서 나이가 들수록, 지위가 높아질수록 '근언(謹言)'이 더욱더 중요해집니다. 부주의한 말을 내뱉거나 잘난 척하는 사람, 다른 사람의 시간을 존중하지 않는 사람, 남의 스승 노릇 하기를 좋아하는 사람은 상대의 반감을 불러

일으키게 되고, 그 편집장처럼 '정리'될 수도 있습니다.

　말이란 마음의 창이고, 마음에서 잘 정리되지 않은 일은 말 속에서 여러 방식으로 드러납니다. 마음에 있는 여러 문제를 분명하게 알아차리고 떨쳐버리려면 개인의 함양이 문제가 됩니다. 한 개인의 말과 행동으로 그의 수양 정도를 판단하는 까닭이 바로 여기에 있습니다. 인격 완성의 기준 중 하나가 말을 할 때 온화하고 항상 마음의 상태를 조절할 수 있어 쉽게 감정이 흔들리지 않느냐입니다. 어떤 사람은 성질이 급해 말을 할 때 화를 참지 못하고 쉽게 자신의 약점을 드러냅니다. 어떤 사람은 조그만 이의도 받아들이지 않고 쉽게 반감을 삽니다. 어떤 사람은 다른 사람의 반응에 신경을 쓰지 않아 미움을 사도 그 사실을 깨닫지 못합니다. 어떤 사람이 남의 말을 경청하거나 이해하는 데 능하지 못해 독단적으로 말하거나 비판을 받기라도 하면 쉽게 극단으로 나아갑니다.

　겉으로 드러나는 말의 모습을 이야기하는 것이 아닙니다. 사람마다 성장 환경이 다르고, 성격과 기질도 다르고, 말하는 방식도 다릅니다. 하지만 말의 뿌리는 같습니다. 그래서 중요한 것이 '근언(謹言)'입니다. 어떤 상황에서도 말하지 말라는 의미가 아닙니다. 너무 떠벌리지 말고, 자신을 대단하게 여기지 말며, 지나치게 고집을 부리지 말라는 선인들의 당부입니다. 또한 참을성을 갖고 다른 사람의 말에 귀를 기울이고, 입장을 바꾸어 다른 사람을 이해하며, 항상 자신을 반성하라는 선배들의 충고입니다.

　인간과 말은 분리할 수 없습니다. 언어 없이는 생각하기조차 어렵고 사람들과 접촉할 수도 없습니다. 막스 피카르트의 통찰이 던져주는 교훈을 소중히 여겨야 합니다. 우리는 서로의 말을 통해 말하는 서로를 만납니다. 언어는 사람들 안에서, 또 그들을 통해서 존재하고 유지됩니다. 생각은 자기 자신과 대화하는 것입니다. 생각하는 사람은 그러므로 일인칭이자 동시에 이인칭이 됩니다. 인간과 인간의 대화는 이 기초에서 시작됩니다.

언어는 언어를 말하는 당사자의 의지를 넘어서 그 이상을 창출합니다. 언어는 언어를 말하는 당사자보다 더 많은 것을 알고 있으며, 당사자가 취할 수 있는 것보다 더 많은 내용을 다룹니다. 인간은 자신이 언어를 지탱하는 것보다 훨씬 더 많이 언어에 의해서 지탱되고 있습니다. 언어 안에는 스스로 지탱할 수 있는 것보다 더 많이 지탱해주는 존재가 있습니다.

정치학자(김준형)와 언어학자(윤상헌)가 함께 쓴 《언어의 배반》이란 독특한 책에서 이야기하듯, 존재를 가리키고 담아내는 것이 언어의 소명입니다. 언어는 존재의 일부이면서 그 존재의 어떠함을 담아내는 일종의 관계대명사와 같습니다. 관계대명사는 앞에 오는 절의 명사를 가리킵니다. 그리고 그 앞 절과 자신이 이끄는 뒤 절을 연결해 두 절의 의미를 종합한 하나의 문장을 만듭니다. 이때 관계대명사는 앞에 오는 명사의 의미적 범주(사람, 동물, 사물, 단수/복수)와 문법적 자질(주격, 목적격)에 일치해야 합니다. 틀린 관계대명사를 선택하면 우리가 만든 문장은 틀린 것이 되고 맙니다. '언어의 배반'이란 언어가 우리를 배반한 것이 아니라 우리가 언어를 배반한 것을 말합니다.

말에 힘이 있는 것은 좋습니다. 힘이 없는 말은, 말을 듣는 타자뿐 아니라 말하는 자신에게도 전달되지 않을 수 있습니다. 하지만 우리에게는 얼마든지 잘못 '믿을' 수 있는 오류의 가능성이 있습니다. 그래서 '확신'을 강조하기 전에 그 믿음이 실체적 진실과 닿아 있는지, 형이상학적 객관성을 담보하고 있는지 신중하게 살피는 것이 중요합니다. 불행히도 꼰대의 허튼소리에 익숙한 이들은 그저 자신이 믿는 것을 강하게 말하는 것으로 다른 이를 설득하려고 합니다. 실체적 진실을 대체할 수 있는 것은 없습니다. 우리 믿음의 근거가 되는 실체적 진실을 확보하거나 그것에 다가가려 하지 않으면서 무조건 확신을 강요하는 것은 옳지 않습니다.

실체적 진실에서 벗어난 거짓말과 속이 빈 허튼소리로 살아서는 안 됩니다. 의미를 잃은 진실하지 않은 교류는 오래 유지될 수 없습니다. 특히 자신과 아주 가까운 이들과 교류하면서 참말을 주고받지 않는다면 심각한 문제가 발생합니다. 어찌어찌하여 한 번은 자신을 기만할 수 있지만, 자신과 친밀한 상대를 궁극적으로 속일 수는 없습니다. 평소에 진실하게 자신을 대면하고, 친근한 사람들에게 자신을 진실하고 의미 있게 표현할 때 비로소 우리의 삶은 참된 행복과 즐거움을 누릴 수 있습니다.

대화는 두 사람이 서로에게 말하려고 의도했던 것보다 많은 것을 상대편에게 줄 수 있습니다. 참된 대화와 소통을 위해 말의 겉을 잘 살펴야 합니다. 서로 다르기에 다른 서로의 차이가 문제가 되지 않도록 말의 겉을 살펴야 합니다. 동시에 말의 속을 살펴야 합니다. 속이 비었거나 왜곡되어 있다면, 말하는 자신은 물론 듣는 타자도 어려움을 경험합니다. 이렇듯 언어의 무게는 참 무겁습니다. 언어는 사람들이 만들고 서로 말하고, 듣고, 쓰고, 읽는 것입니다. 이러저러한 까닭과 환경 탓에 언어의 무게가 가벼워진 세상입니다. 근언신행(謹言愼行)의 지혜가 더욱더 중요해진 시대입니다.

가볍게 날리는 말이 아니라 제대로 된 대화가 그리운 날에는, 두드러지게 겉으로 드러나는 매력은 없지만 부드러우면서도 묵직한 바디감과 짙은 꽃향기를 가진 명품 커피 인도네시아 만델링이 어울립니다. 오늘은, 강한 로스팅에서도 고유의 맛을 지켜내는 커피와 함께 묵직하게 하루를 마십니다.

🦋 바람 한 모금

허튼소리만 덜어내도
그만큼 서로의 관계는
참되고 진지해진다.

인도네시아는 아시아 최대의 커피 생산국으로 유일하게 습식 가공으로 고품질의 로부스타종을 경작한다. 그리고 세계에서 가장 값비싼 커피인 코피루왁(Kopi Luwak)으로 유명하다. 만델링은 수마트라섬의 부족 이름에서 유래했고 남성적인 향미를 지닌 명품 커피다. 강한 로스팅에서도 고유의 맛을 가진다.

늙지 않으려 하기보다
잘 익어가려 합니다

나이 듦에는 어느 누구도 예외가 없습니다. 태어남과
죽음 사이, 살아가는 동안 모든 존재는 나이가 듭니다. 나이 듦
에 따라 성장이란 변화도 경험합니다. 지극히 자연스럽고 당연
한 일입니다. 시간이 흐름에도 나이 들지 않는다면 그것이 문제
입니다. 물리적 몸만 그런 것이 아니라, 생각과 마음도 마찬가지
입니다. 공자(孔子, BC 551~BC 479)는 만년(晚年)에 자신의 삶을
돌아보며 이렇게 이야기했습니다.

나는 나이 열다섯에 학문에 뜻을 두었고(吾十有五而志于學),
서른에 뜻이 확고하게 섰으며(三十而立), 마흔에는 미혹되
지 않았고(四十而不惑), 쉰에는 하늘의 명을 깨달아 알게 되
었으며(五十而知天命), 예순에는 남의 말을 듣기만 하면 곧

그 이치를 깨달아 이해하게 되었고(六十而耳順), 일흔이 되어서는 무엇이든 하고 싶은 대로 하여도 법도에 어긋나지 않았다(七十而從心所欲不踰矩).

인생의 시기에 따라 우리는 자신에게 다른 질문을 하며 삽니다. 30대까지의 질문은 상황에 따라 다양하고 사람마다 차이가 큽니다. 그러다 40대에 들어서면 자신에게 "무엇이 되고 싶은지" 묻습니다. 남은 인생을 후회를 남기지 않고 잘 살아가려면, 더 늦기 전에 자신의 길을 찾아야 하는 때이기에 무겁고 진지하게 "어떻게 살아야 하는지" 질문합니다. 30대까지 걸어왔던 여정을 돌아보며 과거의 '자신'을 살피고, 걸어갈 여정을 내다보며 미래의 '자신'을 계획하면서, 지금 만들어 가야 할 현재의 '자신'을 발견합니다.

50대를 넘어서면 질문이 바뀝니다. "무엇이 되어 살고 있는지" 묻습니다. 자신의 길에서 자신의 모습이 어떠한지 확인합니다. 자기 세계 안에서 이룩한 것이 무엇인지 묻습니다. 남은 인생 여정과 관련해 무언가 중요한 것을 찾으려고 애씁니다. 노후에까지 이어갈 것이 무엇인지 찾습니다. 자신의 나이 듦에 관해 무겁게 묻습니다.

사람의 나이 듦을 와인의 숙성과 비교하기도 합니다. 우리는 흔히 "이 와인은 제대로 숙성(aging)되었다."라고 말합니다. 잘 숙성(aging)된 와인처럼 잘 익은(aging) 인생이 있습니다. 숙성이 덜 된 와인과는 비교할 수 없는 향이 짙고 맛이 깊은 인생이 있습니다.

이탈리아 오페라 작곡가 주세페 베르디(Giuseppe Verdi, 1813년 ~1901)는 73세에 〈오텔로〉(Otello)를, 80세에 가까운 나이에 〈팔스타프〉(Falstaff)라는 걸작을 남겼습니다. 독일 소설가 토마스 만(Thomas Mann, 1875~1955년)은 70세가 넘어서 소설 《파우스트 박사》(Dr. Faustus)와 《사기꾼 펠릭스 크룰의 고백》(Confessions of Felix Krull, Confidence Man)을 집필했습니다. 입체파를 대표하는 천재 화가 파블로 피카소(Pablo Picasso, 1881~1973)는 80대에도 그림과 도예 작업을 계속했습니다. 특히 이 시기는 판화의 시기였습니다. 90대에 필생의 역작들을 남겼습니다. 미국 건축가 프랭크 로이드 라이트(Frank Lloyd Wright, 1867~1959)는 69세부터 뉴욕 구겐하임 미술관(The Solomon R. Guggenheim Museum)과 낙수장(Falling Water) 같은 창조적인 작품들을 만들기 시작했고, 영국 철학자 앨프리드 노스 화이트헤드(Alfred North Whitehead, 1861~1947)는 65세 이후에 《과학과 근대 세계》(Science and the Modern World), 《과정과 실재》(Process and Reality), 《관념의 모험》(Adventures of Ideas)과 같은 가장 영향력 있는 저서를 출간했습니다.

그런데 와인과 달리 바나나는 제대로 숙성되는 것이 아니라 너무 익어 물컹해집니다. 너무 익어 물컹해진 바나나처럼 물컹해진 인생이 있습니다. 나이가 들면 우리 몸은 병이 들거나 쇠약해집니다. 우리 몸은 이렇게 너무 익어 물컹해지는데 마음과 생각은 딱딱해집니다. 살아오면서 성취한 것이 많든지 적든지 상관없이 자신이 성취한 것에 자부심을 느끼면서 자기중심적 태도를 보이게 됩니다. "나는 이렇게 살아왔다, 나는 이런 것을 이루었다"라는 생각이 중심에 자리를 잡으면 마음은 딱딱해집니다. 그래서 나이 든 사람에게 나타나는 모습의 하나가 배우거나 가르치려 하지 않는 것입니다. 그저 이미 자기의 것이 된 것을 반복해 말합니다. 400년경에 활약한 로마의 문헌학자이자 철학자인 마크로비우스(Macrobius)는 그의 책《사투르날리아》(*Saturnalia*)에 "노인들은 습관적으로 말을 많이 한다."라고 기록했습니다.

늙지 않는 것(anti-aging)이 중요한 것이 아니라, 잘 익어가는 것(well-aging)이 중요합니다. 미국 최고의 직업탐색 컨설턴트인 리처드 볼스(Richard N. Bolles)는 대개 사람들이 인생에서 세 가지 박스 안에서 산다고 말합니다. 첫 번째는 태어나서 20년 동안 공부하면서 보내는 박스이고, 두 번째는 40년 동안 일하면서 보내는 박스입니다. 그리고 세 번째는 20년 동안 놀면서 여생을 보내는 박스입니다. 리처드 볼스는 세 번째 박스 안에서의 삶을 달리해야 한다고 이야기합니다. 공부하고, 일하고, 노는 것이 동시에 이루어져야 한다고 제안합니다.

하버드대학교에서 사람들의 전 생애를 추적하며 성인 발달과 관련해 장시간의 종단 연구를 진행했는데, 여기서 몇 가지 중요한 사실이 발견되었습니다. 주목해야 할 핵심은 '생성 능력

(generativity)'입니다. 쉽게 말하면, '다음 세대를 돌보는 것'과 '삶과 일에 투자해 자아를 확장하는 것'입니다. 달리 말하면, 나이 든 사람이 젊은이를 양성한다는 것입니다. 젊은이가 노인을 돌보는 것이 아니라 노인이 젊은 사람을 돌보고, 보살피고, 가르치고, 양육하고, 그들로부터 배우는 것입니다. 스위스의 의사이며 작가인 폴 투르니에(Paul Tournier, 1898~1986)는 노인을 크게 두 부류로 나눕니다.

아주 멋진 노인들이 있는데, 이들은 친절하고 사람들과 어울리기 좋아하며 평화로움으로 빛이 난다. 고통과 어려움은 평온 속에서 그들을 더 성장하게 할 뿐이다. 그들은 구태여 주장하지 않는다. 이 노인들을 만나고 돕는 것 자체가 기쁨이 된다. 일이 잘 풀리거나 여전히 사랑받고 있다는 데 감사하고 심지어 깜짝 놀라기도 한다. 책을 읽고, 마음을 가다듬고, 조용히 산책하고, 모든 것에 관심을 두고, 누군가의 말을 들을 준비가 되어 있다. 반면, 끔찍한 노인들도 있다. 이들은 이기적이고, 쉽게 만족하지 않고, 지배하려 들고, 불쾌하다. 항상 투덜거리며 모든 사람을 비난한다. 그들을 만나러 가면 더 일찍 오지 않았다고 혼낼 것이다. 아무리 좋은 의도라도 오해하고 대화는 이내 고통스러운 갈등으로 변한다.

노년에 이르렀을 때 어느 쪽에 속하고 싶은가요? 당연히 전자입니다. 전자에 속하려면, 오늘 나의 모습을 잘 가꾸어야 합니다. 우리 삶은 필연적으로 연속성을 갖습니다. 지금 삶을 살아가는 방식이 노년과 은퇴 후에 맞을 삶의 방식을 결정합니다. 와인은 시간이 지나면 숙성된 와인이 되고, 바나나는 시간이 지나면 너무 익어 물컹한 바나나가 됩니다. 와인이었기에 숙성된 와인이 된 것이지, 바나나가 숙성된 와인이 될 수는 없습니다. 일하는 것으로 대부분의 시간을 보내야 하는 박스 안에서 살고 있지만, 지금 공부하고 일하고 노는 것을 동시에 해야 합니다. 그래야 세 번째 박스에 이르렀을 때도 공부하고 일하고 노는 것을 동시에 할 수 있습니다. 이것은 은퇴한 사람들을 대상으로 한 사회학 연구에서도 이미 확인된 사실입니다.

누구나 태어나 성장하고 나이가 듭니다. 예외가 없습니다. 그런데 같은 여정을 걷는 것 같지만, 전혀 다른 결과를 만날 수 있습니다. 늙지 않기(anti-aging) 위해 애를 쓰며 살 것인지, 잘 익어가기(well-aging) 위해 수고하며 살 것인지 선택해야 합니다. 유대교 랍비이자 신학자인 아브라함 헤셀(Abraham J. Heschel, 1907~1972)은 이렇게 말합니다.

노년은 패배가 아니라 성공이며, 형벌이 아니라 특권이다. 마치 대학에서 최고학년이 되는 것처럼, 인생의 완성을 이룬다는 기대를 품고 노년을 맞이해야 한다. 사실 노년은 가능성이 풍부한 인격 형성기이다. 이 시기에는 인생의 어리석음을 버리고, 자기기만을 간파하고, 이해심과 공감 능

력이 깊어지고, 정직함의 지평이 넓어지고, 공정성에 대한
감각이 한층 성숙하기 때문이다.

향이 진하고 맛이 깊은 와인처럼 나의 삶이 잘 익어가도록 오
늘 하루도 나를 잘 숙성해야겠습니다. 버릴 것은 버리고, 채울
것은 채우면서 말입니다.

오늘은, 빈센트 반 고흐가 사랑했던 커피, 예멘 모카 마타리.
잘 익은 와인처럼 묵직한 바디감, 새콤한 맛과 쓴맛의 환상적인
조화, 진한 다크 초콜릿 향이 매력적인 커피 예멘 모카 마타리와
함께 하루를 마셔야겠습니다.

🦋 바람 한 모금

늙지 않으려고 애를 쓰다
나잇값 하지 못하는 이들이 있다.
신체는 젊은데 생각은 오래되고 어리다.
삶이 익지 못해
오래 묵은 풋과일 같은 이들이 있다.
익어야 할 것이 익지 않으면,
사람도 인생도 그렇다.

아라비아반도 남서에 있는 예멘은 '초록의 아라비아'라 부를
만큼 초록이 풍부하며 비도 풍족하다. 커피를 뜻하는 오랜 애칭인 모카는
이 지역의 작은 항구도시로 커피를 수출입하던 장소였다. 예멘 중에서도 베
니마타르 지역에서 생산하는 최고급 품종의 커피를 가리켜 '모카 마타리'라
부른다. 반 고흐의 팬들은 '그와 소통하는 길은 마타리를 마시는 길밖에 없
다'라고 말하며 즐겨 마신다. 고흐가 그리운 날에는 마타리가 생각난다.

삶은 한 그루의 나무를 심는 것과 같은

●

나무처럼 살고 싶다는 말은 쉽지만, 그렇게 살라면 솔직히 자신 없습니다. 평생 한 발짝도 옮기지 못하고 한 곳에서 평생을 살아야 한다는 건 상상만 해도 숨이 막힙니다. 게다가 나무꾼이 도끼질해도 피신하지 못하고 고스란히 제 몸 내줘야 하는 무기력과 무방비는 또 어떻고요. 동물이 그런다면 바보라는 악평을 받기 십상입니다. 그러나 나무는 어떤 경우든 묵묵부답 말이 없습니다.

그래도 나무는 제 나름의 생존 지혜가 있습니다. 잎이 넓은 나무는 추위에 몸의 에너지를 뺏길까 봐 가을, 기온이 떨어지기 시작하면 제 몸의 잎들을 스스로 털어냅니다. 겨울에도 잎을 포기하지 않는 늘푸른나무들은 잎을 뾰족하게 세워 견뎌냅니다. 대신 다른 계절에도 그 잎의 면적만큼만 광합성을 해야 하는 걸 감내하는 거지요. 나무는 그렇게 생존의 지혜를 발휘합니다. 버릴 때

는 과감하게 버리고 버텨내야 할 때는 다른 불이익을 감수하면서
도 견뎌내는 강인함을 모든 나무가 보여줍니다. 우리네 삶이라고
다르지 않습니다. 그러니 나무는 우리 삶의 위대한 스승입니다.

 나무와 달리 마음대로 움직일 수 있는 나는 과연 어디를 그렇
게 쏘다니고 있을까요? 제대로 된 목적지 없이 헤매는 건 방황
입니다. 곰곰 따져보니 내 움직임의 절반 이상은 그렇지 않나 싶
습니다. 여기저기 돌아다닌 곳 많지만, 별 의미 없는 곳도 많습
니다. 물론 삶이라는 게 꼭 어떤 정수(精髓)만 뽑아 살 수는 없는
노릇이고, 그리 산다는 것도 별 매력 없는 건 알지만, 무의미한
움직임이 지나치게 많은 것 또한 부인하지 못할 사실입니다. 우
리는 빠른 속도 덕에 '시간'을 얻었지만, 또 다시 속도를 얻기 위
해 더 많은 '시간'을 쓰기도 합니다. 안락 없는 되돌이표의 무한
반복입니다. 그렇게 소모하며 지쳐가고 낡아갑니다. 분주한 삶
입니다. 뭔가 잘못된 느낌입니다. 삶은 순례입니다. 순례자는 길
위에서 자신의 근본과 소명, 그리고 한계를 의식하는 사람입니
다. 그러므로 '아는' 사람이 아니라 '찾는' 사람이 되는 것이 참된
순례자로서의 삶입니다. 마틴 슐레스케가 글을 쓰고 도나타 벤
더스가 멋진 사진으로 호응한《가문비나무의 노래》라는 매력적
인 책에 이런 구절이 있습니다.

 뿌리와 잎은 서로 반대 방향으로 자랍니다. 한쪽은 땅속
 깊이 파고 들어가고, 한쪽은 빛을 향해 뻗어갑니다. 그렇

지만 둘 다 자기 재능과 소임에 충실합니다. 깊은 곳에 있는 물을 찾아 나서는 뿌리, 빛에 열려 있는 잎!

하나의 존재가 서로 다른 길로 갑니다. 같은 장소지만 다른 공간에 있습니다. 둘은 평생 서로 만나지도 못하는 운명입니다. 그런데도 하나만 존재할 수는 없습니다. 다른 공간에서 다른 방향으로, 그리고 다른 방식으로 살아가는 하나의 존재입니다.

우리의 삶도 어쩌면 그렇지 않을까요? 욕망과 이성이 다투고, 이익과 정의가 겨루며, 이기심과 도덕성이 갈등합니다. 그러나 어느 하나에만 충실할 수도 없고 그 다툼이 힘겹다며 둘 다 내칠 수도 없습니다.

그렇다고 적당히 타협하는 건 눈가림만 하는 임시방편에 불과합니다. 욕망이 자라는 만큼 혹은 그 이상으로 이성이 커져서 균형을 맞추고 이익이 꿈틀대는 만큼 정의가 의연하게 실행되며, 이기적 본능을 무조건 거부하기보다는 도덕적 이타심으로 빈 곳을 채우는 지혜를 발휘하는 것이 합리적이고 아름다운 삶입니다. 물론 말처럼 쉽지는 않겠지만, 어쩌면 쉽지 않아서 평생 추구하고 노력해야 하는 방향성일 것입니다.

디자인에서도 규칙적이고 정렬된 패턴과 낯설고 불확실한 패턴이 공존할 때 진정한 아름다움을 발견할 수 있습니다. 그것은 일종의 상호작용입니다. 바이올린 제작의 세계적 장인인 슐레스케는 좋은 바이올린과 마찬가지로 인생에서도 익숙한 것과 낯선 것, 친밀함과 거리 두기의 상호작용이 중요하다고 말합니다. 익숙하고 친숙한 것만 추구하면 영감이 오지 않습니다. 이질적이고 낯선 것뿐이면 소통할 수 없습니다.

어설프게 역사학자 토인비(Arnold Joseph Toynbee, 1889~1975)의 이론을 변형해서 말하자면, '도전과 응전'의 관계라는 그의 역사관은 어쩌면 우리 삶에도 고스란히 반영될 수 있지 않을까 싶습니다. 그 관계가 부담스러울 때 '갈등'이 되어 나타납니다. 그 갈등이 불편하면 잽싸게 한쪽을 택하거나 대충 절충하며 삽니다. 어차피 모든 삶은 자기 안에서 대담한 투쟁으로 채워집니다. 치열한 삶이란 그 대담한 투쟁이 끊임없이 되풀이되는 삶이 아닐까요?

나무처럼 살고 싶다는 바람은 그냥 고고하게 살고 싶다는, 세상 세파에 휘둘리지 않고 조용히 살고 싶다는 보상심리와 맞닿아 있음을 고백하지 않을 수 없습니다. 사실 겉보기와 달리 나무는 어쩌면 우리보다 훨씬 더 치열하게 살고 있는지도 모릅니다. 그저 멋지게 자란 나무의 현재의 모습만 바라보며 내 바람을 투사시킨 점도 있을 겁니다. 정작 단 하루도 나무처럼 부동의 자세로 살아가지 못하면서 말입니다. 그러니 나무처럼 살고 싶다는 말을 함부로 쉽게 뱉어낼 건 아니겠습니다. 그래도 나무처럼 살려는 노력까지 무시될 일 또한 아니겠지요. 무작정 헐떡거리며 여기저기 뛰어다니기보다 묵묵히 한 곳을 지키며 자신의 근본을 발밑에 깊숙이 묻고 자신에게 허락된 만큼의 높이만 차지하

흰 눈이 소담하게 내리는 날

는 나무는 구도(求道)하는 삶의 표상입니다. 그걸 배우고 실천할 수 있을 때 비로소 나무가 내 삶 속으로 들어옵니다.

뿌리와 잎이 서로 같은 방향으로 같은 방식으로 살아가겠다고 고집하거나 적당히 야합하면 나무는 곧 죽게 됩니다. 뿌리가 박히는 깊이만큼 줄기와 잎이 하늘로 올라갑니다. 뿌리가 얕으면 나무도 얕아집니다. 이제는 듬직한 나무를 보면 그 아래 내린 뿌리의 힘과 노고를 생각하겠습니다.

그게 눈에 보일 때 비로소 나무처럼 살고 싶다는 게 그저 멋진 헛소리가 아니라 치열한 바람이 됩니다. 우선 제 뿌리가 어디까지 내려가 있고 얼마나 튼실하게 박혀있는지부터 살펴야겠습니다. 겉으로는 한 곳에 붙박이로 박힌 채 유배의 삶을 견디는 존재처럼 보이지만 뿌리는 땅 속에서 줄기와 잎은 땅 위에서 끊임없이 한 뼘씩 움직이고 있는 걸 깨달으면 기꺼이 나무처럼 살 수 있는 지혜와 용기를 얻습니다. 아, 지금 나무가 바람에 살랑입니다. 나무가 움직입니다. 의연하고 당당하게 움직입니다. 그렇게 나무가 걸어갑니다.

 햇살 한 컵

한 그루의 나무도 숲이 될 수 있고
울창한 숲도 하나의 나무가 될 수 있다.
인생이라는 나무도 그렇다.
당신이 또한 내겐 그렇다.

나무가 가르쳐주는 삶

●

     못생긴 나무가 숲이 되어 산을 지킨다는 이야기가 있습니다. 멋진 숲을 이루는 나무라면 잘생긴 나무여야 할 것 같은데, 가만히 생각해 보면 맞는 말입니다. 산중에 있는 나무들 가운데 잘생긴 나무들은 그 모습과 쓸모 때문에 산을 떠나 다른 곳으로 옮겨집니다. 자신의 의사와는 무관하게 태어나 자란 산에 머물지 못하고 이주의 어려움과 헤어짐의 아픔을 경험합니다.

    나무로 집을 짓는 것이 일상이던 시절에는 가장 곧고 잘생긴 나무가 가장 먼저 잘려서 서까래 감으로 쓰였습니다. 잘생긴 한옥을 만나면 서까래부터 보입니다. 지붕 아래 나무였을 때 모습을 그대로 드러낸 채 지붕의 하중을 받아서 도리와 기둥으로 이어주는 것이 서까래입니다. 한옥의 멋은 서까래가 절반 이상을 만들어낸다고 해도 과언이 아닐 것입니다. 기와를 올린 지붕과 그 아래 처마와 추녀가 만나 만들어내는 한옥의 아름다움은, 때로 나란히 때로 부챗살처럼 걸린 서까래들 덕분입니다.

집이 서까래만으로 지을 수 없으니 다른 나무들도 선택을 받아 산을 떠나게 됩니다. 서까래가 되지 못한 그다음 잘생긴 나무는 큰 나무로 자라서 기둥이 됩니다. 그렇게 잘생긴 나무들이 차례로 산을 떠나고 나면, 가장 못생긴 나무는 끝까지 남아서 산을 지키는 큰 고목이 됩니다. 그러다가 못생긴 나무가 목수 눈에 띄어 잘리면 대들보가 됩니다. 참 아이러니합니다. 앞뒤 중간 기둥에 걸쳐서 지붕의 무게를 받치는 가장 큰 들보가 바로 대들보입니다. 이 대들보는 건물 부재(部材)의 모든 짐과 지붕의 무게까지도 받아 지탱합니다. 대들보가 제 몫을 하지 못하면 집을 세우지 못할 뿐 아니라 세운 후에라도 유지할 수도 없습니다. 대들보가 되기 위해서는 긴 세월 풍파를 뚫고 단단하고 큰 나무가 되어야 합니다. 오래 산에 머물러야 합니다.

나무의 삶이 이러합니다. 잘생긴 나무이든, 못생긴 나무이든 제 몫의 쓸모가 있어 사람과 관계를 맺고 자신을 내어주며 삽니다. 콘크리트로 집을 짓기 시작한 후로는 나무로 집을 짓는 일이 예전처럼 많지 않습니다. 그렇다고 해서 나무의 쓸모와 사용이 줄어든 것은 아닙니다. 오히려 예전보다 더욱더 많아졌습니다.

《나무이야기》에서 케빈 홉스(Kevin Hobbs)는 나무의 쓸모와 나무와 인간의 관계에 관해 이렇게 이야기합니다.

나무는 이 글이 인쇄된 종이를 제공했고, 커피를 만드는 원두를 우리에게 선사했으며, 집과 가구의 주재료가 되어 우리의 삶을 편안하게 해준다. 우리는 화석 연료로 달리는 차를 타고 고무로 만든 타이어를 굴리며 가로수가 즐비한 거리를 돌아다닌다. 우리의 장바구니에도 과일과 견과류, 허브, 양념, 코르크 마개로 밀봉된 와인병 등 나무 제품이 가득하다. 나무를 먹고 사는 벌레가 만들어낸 수지(樹脂)로 집에 광택을 내고 나무 수액에서 얻은 흰 용제를 써서 나무 손잡이 솔을 씻는다. 의약품, 화장품, 의류 등 나무를 이용하는 제품을 일일이 열거하려면 끝이 없다. 우주선의 단열재 속 코르크 껍질이 증명하듯 기술이 고도로 발달한 현대에도 인간과 나무의 관계는 끈끈하게 이어지고 있다.

삶의 주변을 돌아보면 이미 관계를 맺고 함께 살아가는 여러 모습의 나무가 보입니다. 오래전부터 그 자리에 있었는데 모르고 있던 나무들도 있습니다. 제게는 가로수가 그렇습니다. 가로수(街路樹), 말 그대로 street tree. 이러저러한 사전들은 "시가(市街)와 노변(路邊)에 심은 수목, 도로변에 줄지어 심은 나무, 거리의 미관(美觀)과 국민 보건 따위를 위하여 길을 따라 줄지어 심은 나무"라고 설명합니다. 도시에 사는 사람들과 더불어 산다고 해야 할까요? 산을 떠나 도시의 거리에 자리 잡은 나무는 원래의 이름보다 '가로수'라는 이름으로 불리며 삽니다.

원래의 이름도 사람이 붙여준 이름이지만, 그 원래의 이름마저 내려놓고 가로수라 불리며 사는 그 나무들은 관계 맺은 사람들에게 끊임없이 좋은 것을 내어주며 삽니다. 가로수는 아름다운 풍치를 주어 마음을 즐겁게 해 줍니다. 그 풍치를 즐기기 위해 여행자가 되어 찾는 이들도 있습니다. 벚꽃이 피는 계절에는 이곳저곳 유명한 가로수길은 찾는 이들로 가득합니다. 꽃을 피우지 않아도 멋진 풍치를 만들어내는 가로수길도 많습니다.

여름 한낮 열섬 효과로 한껏 더위를 품은 도시의 거리를 걸어야 하는데, 태양 볕은 뜨겁고 가로수가 없는 거리였다면, 사람들은 투덜거리며 이야기할 겁니다. "도대체 왜 여기는 가로수도 없는 거야"라고 말입니다. 끝없이 자동차가 오가는 도로에서 소음을 줄여주는 것도 가로수가 사람들에게 주는 유익입니다. 덕분에 우리는 함께 걷는 이들과 큰 불편함 없이 이야기를 나눌 수 있습니다. 가로수는 도시의 공기를 채우고 있는 대기오염물질을 자신이 품어 줄여주기도 합니다. 덕분에 우리는 방독면 없이도 도시에서 살 수 있습니다.

도시를 설계하면서 녹지의 비율을 중요하게 여기는 것은 그저 눈에 좋게 보이는 도시를 만들기 위해서가 아니라 생존할 수 있는 도시를 만들기 위해서입니다. 가로수를 비롯한 나무가 많아 마치 숲속에 있는 도시가 된다면 그만큼 우리의 삶이 풍요로울 것입니다.

도로변에 심어진 가로수는 도시에 사는 사람들의 안전을 위해서도 중요한 역할을 합니다. 비가 엄청나게 내리는 여름밤의 거리, 앞서가는 차의 모습도 구분하기 힘든 상황이 되면, 어디가 차가 다니는 차도(車道)이고 어디가 사람이 다니는 인도(人道)인지 도무지 알 수 없습니다. 하지만 가로수가 있어 우리는 차도와 인도를 구분하고, 자신이 걸어야 할 길에서 벗어나지 않은 채 앞으로 나아갈 수 있습니다. 인도와 차도를 구분할 수 없을 만큼 눈이 내린 날, 온통 하얗게 변한 풍경을 즐기며 안전하게 목적지에 이를 수 있는 것도 가로수가 그 자리를 지키고 있기 때문입니다.

중국 난징(南京)을 여러 번 방문했습니다. 방문할 때마다 고대 도시가 주는 깊은 아름다움에 경탄을 쏟아낼 수밖에 없었습니다. '난징 대학살'이란 슬픔을 품고 있는 도시이지만, 도시는 애써 꾸미지 않아도 숨길 수 없는 깊은 아름다움을 품어내고 있었습니다. 한번은 엄청나게 눈이 내리던 날 방문했습니다. 말 그대로 폭설이 내리던 날, 고속철도역에서 나와 목적지까지 택시로 이동했습니다. 택시로 이동하면서 경험한 난징의 거리를 지금도 생생히 기억합니다. 순백의 아름다움이 가득한 거리, 그 거리의 풍경을 완성한 것은 그곳의 가로수였습니다. 하얀 눈을 가득 받아들고 선 가로수는 마치 흰옷을 입고 선 옛 선인들처럼 보였습니다. 지금 돌이켜 생각해 보니, 잊을 수 없는 순백의 아름다움뿐 아니라 폭설이 내리는 날이었음에도 안전하게 일정을 마무리할 수 있었던 것도 난징의 가로수 때문이었습니다.

가로수로 산다는 것이, 나무로 산다는 것이 이러합니다. 내어주고 내어주며 삽니다. 자신의 자리인 자연을 떠나 도시에서 살면서도 계속 자신을 내어줍니다. 뿌리를 깊게도 넓게도 내어 뻗지 못하면서도 계속 자신을 내어줍니다. 하늘을 향해 자란 가지는 이런저런 까닭으로 자주 잘려 나가면서도 계속 자신을 내어줍니다.

이처럼 나무처럼 산다는 것은, 소중한 이들과 가장 가까운 곳에서 더불어 살기 위해 모든 것을 다 내어주는 것입니다. 평소에는 드러나지 않지만, 결정적인 순간 그 존재감이 드러나는 사람이 있습니다. 있으면 그 존재의 소중함을 잘 모릅니다. 하지만 없으면 왜 없냐고 묻게 되는 존재가 있습니다.

나무는 나무로 살기 위해 애를 씁니다. 나무의 이런 애씀을 니체는 이렇게 이야기했습니다. "하늘에 닿길 원하는 나무는 땅속 가장 깊은 곳으로 내려가야 한다. 뿌리가 지옥까지 깊이 내려가면 가지들이 하늘에 닿을 수 있다. 나무는 하늘과 지옥, 가장 높은 곳과 가장 낮은 곳 둘 다에 존재해야 한다." 나무처럼 산다는 것은 우리 삶의 가장 높은 곳과 가장 낮은 곳 모두를 지향하는 것입니다. 그래야 어떤 상황에서도 나무처럼 관계 맺은 이들에게 내어줄 것을 내어주며 살 수 있습니다.

오늘은, 커피 한 잔 하자던 벗을 만나야겠습니다. 어떤 커피든 괜찮습니다. 만남을 부드럽고 진하게 채워줄 커피면 충분합니다. 함께하는 커피와 함께 하루를 마십니다.

바람 한 모금

나무가 나무이면 되듯이 인생도 그렇다.

나는 나로서 살면 된다.

굳이 다른 존재로 살려 하지 마라.

다른 존재가 될 수도 없지만,

그것은 나의 삶이 아니다.

내 삶의 결을 맡기는 일

●

독일의 바이올린 장인 마틴 슐레스케(Martin Schleske, 1965~)의 《가문비나무의 노래》는 읽을 때마다 많은 것을 성찰하게 합니다. 그는 나무와 악기의 관계를 통해 놀라운 영성의 성찰을 끌어냅니다.

신에게 가는 것은 우리의 결을 그대로 지니고, 제작자인 신이 나무인 우리를 만져 멋진 곡면을 빚도록 허락하는 일입니다. "하느님, 당신께 나아갑니다. 저를 당신께 드리오니, 당신 마음에 합당한 모양으로 빚어 주소서."

슐레스케는 바이올린을 만들기 전에 나무와 깊은 대화를 나눕니다. 어떤 나무를 선택할지, 그 나무가 어떻게 살아왔는지, 그 나무 가운데 어떤 부분을 선택할지 고민합니다. 그냥 '목재'

를 고르는 게 아니라 나무의 삶의 이력을 읽어내고 그게 악기의 형태를 취할 때 어떤 소리를 빚어낼지 꼼꼼하게 살펴봅니다. 그리고 나서도 긴 시간을 기다려야 합니다. 살아있는 나무가 제 삶을 마감한 뒤에 어떻게 건조되는지에 따라 새로운 삶의 결을 마련할 시간을 줘야 하기 때문입니다. 그리고 마침내 그 나무를 조심조심 깎고 다듬어 악기의 모양을 갖추게 해줍니다. 단순히 하나의 도구로 보는 것이 아니라 자신의 동반자로서 깊은 대화를 나누고 그를 통해 자신의 삶을 돌아보고 더 나아가 신과의 관계를 끊임없이 살펴봅니다.

바이올린 몸체의 곡면은 참으로 우아합니다. 그 곡면이 단순히 아름다움을 위해 그런 형태를 취하는 것은 아닙니다. 악기의 몸통이 어떤 형태와 부피를 취하느냐에 따라 소리가 달라지기 때문에 가장 이상적인 소리를 빚어낼 수 있는 모양을 갖게 된 것입니다. 바이올린을 제작하는 사람은 단순히 나무를 보는 것이 아니라 그것이 만들어내는 소리까지 미리 읽어내면서 나무를 다듬습니다. 같은 모양이라 하더라도 어떤 나무의 어떤 부분인지에 따라 소리가 다르고 심지어 나무의 결에 따라서도 달라집니다.

그는 나무의 결을 다듬다가 우리 삶의 결을 읽어냅니다. 나무는 제작자에게 자신의 요구사항을 말하지 않습니다. 자기의 결을 제작자에게 맡기고 다가갑니다. 우리 또한 마찬가지입니다. 나의 결을 그대로 신에 맡겨 그의 뜻에 따라 삶을 빚도록 하는 것이 신에게 가는 것이라고 하는 슐레스케의 말은 많은 뜻을 함축하고 있습니다. 신에게 '나아가는' 일은 과연 무엇일까요? 그저 천국의 문을 허락해달라고, 더 많은 성공을 내려달라고 애원하는 것일까요? 남보다 열심히 교회에 나가고 지극정성으로 기도하며 열정적으로 전도했으니 당연히 그에 따른 축복이 있어야 하지 않느냐고 은근히 조르는 것일까요? 굳이 종교적 측면에서만 이해해야 할 까닭도 없습니다. 아니, 종교적 이해라면 더욱 깊이 새겨보고 생각해봐야 할 것입니다.

나무는 아무 말도 하지 않습니다. 그저 자신의 결을 제작자의 뜻에 따라 빛도록 내맡깁니다. 신앙이라는 게 그와 다를 게 있을까요? 나무는 제작자의 손길에 자신을 맡김으로써 새롭게 창조되어 자기가 지닌 울림을 펼칩니다. 믿음이란 자신을 신의 지혜에 기대며 맡기고 약속된 가능성에 자신을 전적으로 허락하는 일입니다. 그런데 우리의 믿음은 마치 곗돈을 붓듯 신앙을 자산으로 삼아 그것을 근거로 축복을 거래하는 건 아닌지 모르겠습니다. 심지어 자신의 종교와 다르다는 이유 하나만으로 다른 사람의 믿음과 영성을, 더 나아가 그의 삶과 문화까지 깔아뭉개는 짓을 서슴지 않는 건 참으로 눈 뜨고 못 봐줄 폭력입니다.

영성은 나와 신의 내밀한 대화와 의탁, 그리고 그것을 통한 나의 쇄신이며 삶의 결을 단단하게 다듬는 일입니다. 신비로움은 그 다음의 몫입니다. 큰소리로 외치는 기도가 더 영험한 것도 아니며 신께 더 충실한 것도 아닙니다. 성찰이 없는 기도는 일종의 정신적 · 영적 마스터베이션일 수도 있습니다. 좀 불경스러운 말이지만, 그 표현 말고는 딱히 그것을 정의할 수 있는 어휘

를 찾기 어렵습니다. 성찰의 지속적 모양과 형편이 바로 명상입
니다. 국어사전은 명상을 '고요히 눈을 감고 깊이 생각함, 또는
그런 생각'이라고 정의합니다. 심리학에서는 '마음의 고통에서
벗어나 아무런 왜곡 없는 순수한 마음 상태로 돌아가는 것을 초
월이라 함. 이를 실천하는 것이 명상'이라고 정의하기도 합니다.
이 둘을 하나로 묶어 보면, 일상에서 잠시 벗어나 내면의 자아와
교감하며 조용히 생각에 빠지는 것이라고 할 수 있습니다. 그 생
각의 끝에서 우리는 초월과 절대자에 대해 생각을 모으게 됩니
다. 그것을 영성이라 할 수 있을 겁니다. 그러므로 영성은 기본
적으로 조용하다는 점과 내면을 성찰한다는 두 가지 특성을 담
고 있는 셈입니다. 물론 그것이 영성의 전부도 아니고, 모든 영
성이 그런 양상을 띠는 것도 아니겠지만, 기본적으로는 그런 점
을 안에 품는 것이라 하겠습니다.

　나무의 결을 생각하고 그 결을 장인의 손에 맡기듯 나의 결을
발견하고 그 발현을 신에게 맡기는 것이 바로 신앙이고, 그런 태
도를 내가 지니며 수행하는 것이 영성이라 할 수 있습니다. 장인
은 나무를 만지면서 그저 목재로만 느끼지는 않을 것입니다. 남
들이 보기엔 고약한 옹이로 보여도 그것만이 간직한 잠재적 소
리의 울림을 느끼고 어디쯤 있을 때 그 울림이 가장 적절하고
옹골찰지에 대해 수많은 생각을 모을 것입니다. 나무가 말을 한
다면, 영혼이 있다면 장인의 그런 점 때문에 말없이 자신을 맡기
는 것이라 느껴집니다. 영성은 어느 한쪽의 일방적인 생각이나

판단이 아니라, 웅숭깊은 대화를 통해 서로 느낄 수 있는 것이기 때문입니다. 그러므로 나의 영성은 먼저 나에게 말을 걸고 생각을 다듬으며 나의 옹이가 어디에 있는지 순하고 다듬기 좋은 곳은 어디인지를 찾아내는 것입니다. 그러므로 영성이건 명상이건 그건 결국 나와 나의 내면의 깊은 울림인 셈이겠습니다.

바흐(Johann Sebastian Bach,1685~1750)의 파르티타를 틀어봅니다. 악보의 구현으로서의 음악 외에 바이올린이라는 악기가, 아니 악기를 만들어낸 나무의 결이 어떤지 느껴보는 음악은 또 다른 느낌입니다. 이전에는 느껴보지 못했던 그런 소리입니다. 나무(악기)와 장인, 작곡가와 연주자의 조합은 대화입니다. 영성이라고 꼭 신을 들먹일 것까지는 없어도 무방한 그런 대화입니다. 오늘 잠시 짬을 내 그런 시간을 가져볼 생각입니다. 어둠의 심연 속에서 잠깐이라도 내게 말 걸어보렵니다. 내 삶의 결을 어떻게 맞추고 어디에 맡겨야 할지, 어쩌면 벼락같이 찾아올지 모를 일입니다.

 햇살 한 컵

신을 믿는다는 건
구원에 대한 보험이 아니라
삶의 주파수를 신의 선의지에 맞추는 것이다.

나무처럼 살 수 있다면

●

인간과 나무가 언제부터 인연을 맺고 더불어 살아왔을까요? 인간의 역사와 나무의 역사는 겹쳐져 있다고 할 만큼 오래되었습니다. 모든 것의 기원을 이야기하는 구약성경 창세기도 사람과 나무의 오랜 인연을 기록하고 있습니다. "내가 온 땅위에 있는 씨 맺는 모든 채소와 씨 있는 열매를 맺는 모든 나무를 너희에게 준다. 이것들이 너희의 먹거리가 될 것이다"(창세기 1장 29절).

생명을 가진 모든 존재는 먹지 않고 살아갈 수 없습니다. 생존을 위해서는 먹거리가 필수적입니다. 생존을 위해 신이 인간에게 준 먹거리가 바로 나무였습니다. 나무가 내어주는 열매가 인간이 살게 하는 먹거리였습니다. 이처럼 나무는 인간의 역사 처음부터 함께했습니다. 처음부터 나무는 인간의 생존을 위해 절대적으로 필요한 동행이었습니다.

이런 나무처럼 살아갈 수 있을까요? 자기 아닌 다른 존재가 살 수 있게 하는 존재로 산다는 것은, 그저 자기만을 위해 사는 것과는 비교할 수 없는 삶입니다. 그런데 나무는 어떻게 그런 삶을 살 수 있을까요? 신이 정해놓은 숙명이라 어찌할 수 없이 그렇게 사는 것뿐일까요? 잠시 나무가 되어 나무의 삶을 생각합니다. 나무의 편에 서서 인간과 맺어온 인연을 생각합니다.

나무는 인간이 자원을 지배하기 위해 최초로 재배한 작물에 속합니다. 처음에는 원래 있던 나무에서 자원을 얻어가던 인간이 어느 때부터는 자원을 얻기 위해 나무를 옮겨 심고 재배하기 시작했습니다. 그때부터 나무는 자기 자리를 떠나 인간이 원하는 자리에서 살아야 했습니다. 이처럼 목재나 부산물 때문에 인간의 표적이 된 나무들은 뜻하지 않은 불행한 운명을 맞아야 했습니다. 인간의 욕심이 불행의 까닭이었습니다. 파괴적인 과잉 채취로 존재 자체를 위협받는 나무들이 적지 않았습니다.

인간의 욕심은 나무뿐 아니라 같은 인간마저 불행하게 했습니다. 이 불행은 지금도 여전히 계속되고 있습니다. 여러 문명권과 국가들은 나무와 나무가 제공하는 부산물이라는 귀중한 물자를 장악하고자 경쟁을 벌였습니다. 나무와 나무 제품을 둘러싼 쟁탈전 속에서 나무처럼 원래 그 땅에서 살던 토착 주민들도 큰 희생을 겪어야만 했습니다. 강대국과 대기업들이 통제권을 두고 다툼을 벌이면서 엄청난 잔학 행위와 탄압이 계속되었습니다.

이뿐이 아닙니다. 인간의 욕심은 생태계 자체마저 힘들게 했습니다. 시장의 안정화를 위해 나무들을 원산지에서 멀리 떨어진 식민지에 재배하는 사례가 늘면서 생태계의 균형이 위협받아야 했습니다. 원래의 땅에서 떠난 나무는 자신의 의사와 상관없이 새로운 땅에서 침입자라는 이름표를 붙여야 했습니다.

그저 나무는 나무로 살면서 자기가 아닌 다른 존재가 살 수 있게 하는데, 그 나무의 혜택을 누리는 인간은 나무의 생존을 위협하고 나무를 침입자로 만들었습니다. 인간의 욕심은 나무뿐 아니라 동료 인간에게도 놀랍도록 같은 방식으로 폭력을 행사했습니다. 그저 자기 삶을 살던 이들을 '노예'라는 이름표를 붙여 낯선 땅으로 끌고 와서 생존을 위협하고 노동력을 착취했습니다.

지난 일이라고만 할 수 없습니다. 지금도 비슷한 일들이 계속되고 있습니다. 힘을 가진 이들은 상대적으로 힘이 약하거나 없는 이들을 자기 필요에 따라 이러저러한 이름표를 붙여 분류하고 자기 필요에 따라 사용합니다. 노사 관계에서 등장하는 '사용자, 사용자 단체, 사용자 측'이란 단어, '인턴, 비정규직, 계약직, 무기계약직, 정규직'이란 단어에 담긴 함의가 무겁고 슬프게 다가옵니다.

나무는 어떻게 계속 나무로 살 수 있을까요? 어떻게 자기를 위해 살면서도 자기 아닌 다른 존재를 살게 하는 존재로 살 수 있을까요?

 흰 눈이 소담하게 내리는 날

262

우리가 사는 세계에는 놀랍도록 다양한 나무가 존재합니다. 6만 종이 넘는 수종이 있다고 합니다. 어떻게 이렇게 다양한 나무가 존재할 수 있었을까요? 말로 표현할 수 없을 만큼 모진 어려움을 겪어왔음에도 말입니다. 땅에 뿌리를 내리고 사는 나무는 자신을 즐겨 먹는 포식자로부터 달아날 수 없는 존재입니다. 그래서 나무는 자기를 지키기 위해 이동할 수 있는 존재와 다른 방법을 찾아야 했습니다.《나무의 세계_80가지 나무에 담긴 식물과 사람 이야기》에서 조녀선 드로리(Jonathan Drori)는 생존을 위한 나무의 애씀을 이렇게 이야기합니다.

자신을 즐겨 먹는 포식자로부터 달아날 수 없어서 나무는 궁여지책으로 불쾌한 화학 물질을 제조해 이들을 저지한다. 나무에서 분비되는 고무진, 나뭇진, 라텍스(유액)는 곤충을 비롯한 습격자를 집어삼키거나 중독시키고 또 꼼짝 못하게 만든다. 그리고 곰팡이와 세균도 물리친다. 이러한 나무의 방어 작용이 인간에게 추잉 껌, 고무, 그리고 세계에서 가장 오래 거래된 사치품인 유향을 선사했다. 오리나무류는 습한 지역에서 살도록 적응한 덕분에 물속에서도 목재가 썩지 않는다. 이탈리아의 수상 도시 베네치아는 말 그대로 이 나무 위에 세워졌다고 해도 과언이 아니다. 그러나 나무가 인간의 필요를 만족시키기 위해 진화한 것은 물론 아니다. 나무는 아주 오랜 세월에 걸쳐 환경에 적응해 나가면서 자신을 방어하고 후대의 생존과 확산을 도모

해 왔다. 잘 적응한 나무일수록 자손을 더 많이 생산하고 널리 퍼져나갔다.

나무는 정말 나무답게 삽니다. 나무로 살기 위해 나무답게 애를 씁니다. 자기 생존을 위해 다른 존재를 공격하지 않습니다. 원래의 자리에 그대로 있기만 하면 나무는 침입자가 되지 않습니다. 조너선 드로리는 이런 나무의 나무다움을 이렇게 이야기합니다.

나무는 땅에 뿌리를 박고 서 있기에 자기가 자라는 서식처와 불가분한 관계일 수밖에 없다. 그리고 어떤 곳이든 경관, 사람, 나무 사이에 나름의 고유한 관계가 형성된다. 피나무와 너도밤나무는 영국인의 친숙한 나무지만, 독일 사람들에게는 신화처럼 낯설다. 남아프리카의 덥고 건조한 환경에서 바오바브나무의 뿌리는 물을 찾기 위해 대단히 먼 거리를 이동한다. 기진맥진하게 내리쬐는 중동의 태양 아래에서는 즙이 줄줄 흐르는 석류 열매로 목을 축일 수만 있어도 무한히 행복할 것이다. 시베리아잎갈나무는 자생하는 북방 서식처에서 추위에 대한 남다른 적응력을 드러낸다. 반면에 말레이시아 열대 우림의 축축한 온기는 두리안과 박쥐 사이의 정교하고 복잡한 관계를 형성한다. 유칼립투스속을 비롯한 많은 오스트레일리아 종은 초식 동물로부터 자신을 보호하기 위해 진액과 방향유를 분비한다.

반면에 초식성 포유류가 많지 않은 하와이 제도의 나무들은 뾰족한 가시나 독성이 있는 화학 물질을 진화시킬 필요가 없다. 캐나다의 독특한 날씨는 설탕단풍의 잎을 환상적인 가을 색채로 물들인다. 그러나 유럽에서는 같은 단풍이라도 색이 훨씬 칙칙하다.

길지 않은 유학 기간, 두 번의 가을을 캐나다 밴쿠버에서 보냈습니다. 유독 아름다웠던 단풍의 모습을 지금도 기억합니다. 국가를 상징하는 국기(國旗)에 담을 만큼 충분히 아름답고 환상적인 모습이었습니다. 우리 삶이 그 단풍 같으면 좋겠습니다. 자기를 드러내기 위해 애써 화려하게 꾸미는 것이 아니라 그저 자기답게 살기에 다른 존재를 살게 하고 세상에 아름다움을 선물하는 삶이었으면 좋겠습니다.

화려하고 독특한 사진과 영상으로 채워지는 SNS 세계 속을 돌아다니다 보면, 문뜩 은근하지만 깊은 달콤함을 간직한 메이플 시럽이 생각날 때가 있습니다. 유학 시절 단골집이었던 그곳에서 메이플 시럽을 잔뜩 올린 팬케이크를 다시 먹을 날이 있겠지요. 이왕이면 붉게 물든 단풍나무를 창밖으로 바라보면서 말입니다.

오늘은, 팬케이크에 어울리는 따뜻한 아메리카노와 함께 하루를 마셔야겠습니다. 헤이즐넛을 더하면 더 좋은 느낌이겠지요.

🦋 바람 한 모금

나무가 만드는 정글은 모두가 사는 정글이지만,
사람이 만드는 정글은 그렇지 않다.
자기를 살리려 하다가 모두가 죽는다.
나무처럼 자기 몫의 자리만 찾으면 된다.
그러면 나도 살고 모두가 살 수 있다.

품질 관리가 잘못된 원두를 버리기는 아깝고, 쓰자니 못 쓰고
해서 만든 것이 인공 향신료 헤이즐넛의 시초다. 원래 헤이즐넛은 개암나무
열매를 말한다. 하지만 우리가 만나는 헤이즐넛 향은 천연 개암나무 열매의
향이 아니라 인공적으로 만들어낸 화학적 향기다. 인공적으로 만들어진 향
이지만, 커피를 새롭게 만나게 하는 좋은 벗이다.

마음을 지켜야 나를 지킬 수 있습니다

일 잘하고 성과를 내는 사람이 인정받고 성공하는 세상입니다. 그러다 보니 모두 열심히 살고, 인정받기 위해 애를 씁니다. 노력하고 애를 쓴다고 모두가 성공할 수 있는 세상이 아니기에 경쟁은 치열하고 정도[正道(올바른 길 혹은 정당한 도리)와 定道(이미 정하여져 바꿀 수 없는 길 혹은 자연적으로 정하여진 도리)]를 벗어난 일들마저 일어납니다.

약한 사람을 보호하고 배려하는 세상이 아니라 무시하고 공격하는 세상이기에 절대 자기의 약한 부분은 보이려 하지 않을 뿐 아니라 자기마저도 자기의 약한 부분을 인정하려 하지 않습니다.

'슈퍼맨 증후군'이란 말이 있습니다. 말의 뉘앙스에서 느껴지듯 '슈퍼맨'처럼 자기 영역에서 특출한 성취를 이룬 엘리트들이 정신적으로 겪는 괴로움을 가리키는 말입니다. 일종의 '엘리트 병'이라 할 수 있습니다. 자기 영역에서 잘나가는 사람인 엘리트는 선망과 추종의 대상입니다. 그런 이들에게 무슨 문제가 있을까 생각할 수 있겠지만, 내면을 살펴보면 도무지 감당할 수 없는 거대한 무게의 스트레스를 받고 있음을 발견합니다. 자기 영역에서 가장 앞선 자리에 있어야 한다는 것, 남에게 뒤지지 않으려는 마음이 그들의 마음을 힘들게 합니다.

스스로 자기 마음을 피곤하게 합니다. 자기 영역에서 슈퍼맨처럼 비교할 수 없는 성과를 이루어낸 엘리트들은, 강한 책임감과 진지하고 성실하게 일을 수행하는 것과 다른 사람을 위해 자신을 기꺼이 내어주는 것과 같은 이미지가 있습니다. 그런데 불행히도 엘리트들이 내세우는 책임감이란 항상 남보다 앞서려고 하는 마음과 자신의 사회적 지위와 대중적 이미지를 지나치게 중시하는 태도와 관련이 있습니다.

고려 때 어린이들의 학습을 위해 중국 고전에 나온 선현들의 금언(金言)이나 명구(名句)를 편집해 만든 책인 《명심보감》〈존심편〉에 "심안모옥온, 성정채갱향(心安茅屋穩, 性定菜羹香). 세사정방견, 인정담시장(世事靜方見, 人情淡始長)."이란 구절이 있습니다. "세상의 일이란 고요한 가운데 바야흐로 드러나고, 사람의 정이란 담백한 가운데 비로소 자라난다."라는 뜻입니다. 마음이 불안하면 평온한 감각이 있을 수 없습니다. 감각의 뿌리인 마음이 불안한데 감각이 평온할 수는 없습니다. 정서가 불안정하면 입맛도 없습니다. 입맛의 뿌리도 마음입니다. 인생살이의 참된 맛을 깨달으려면, 마음이 먼저 안정되어야 합니다. 불안한 마음으로는 인생의 참맛을 느낄 수가 없습니다. 인생을 살면서도 인생의 맛을 느끼지 못하니 살아도 사는 것 같지 않고 피곤하고 힘이 듭니다.

인생은 원래 고단한 것이라고 이야기할 수 있습니다. 다들 힘들게 인생살이를 하고 있다고 말할 수 있습니다. '생사고락(生死苦樂)'이란 말이 괜히 있는 것은 아닐 겁니다. '태어남(生)'과 '죽음(死)' 사이에 있는 것이 '괴로움(苦)'과 '즐거움(樂)'입니다. '즐거움'만 있으면 좋을 텐데 '괴로움'이 인생 여정에 함께 합니다.

하지만 유독 마음의 괴로움만 잔뜩 품고 사는 이들이 있습니다. 즐거움은 애써 멀리한 듯 괴로움만 가득 마음에 담고 사는 이들이 있습니다. 우연히 그렇게 사는 것은 절대 아닙니다. 근심이 너무 많거나, 불필요한 미련이 마음을 지배할 때 마음은 피곤하고 괴로운 법입니다.

마음의 문제는 대부분 근심을 떨쳐 버리지 못하기에 비롯됩니다. 근심을 떨쳐 버리지 못하는 것은, 세속적인 욕망과 스트레스에 파묻혀 스스로 헤어나지 못하기 때문입니다. 성공하지 않으면 뒤처질 수밖에 없는 세상이라고 여기기에 마음에 가득 근심과 스트레스가 쌓입니다.

옛사람들은 이런 상황을 '본심(本心)'을 잃은 것이라고 불렀습

니다. 그리고 학문을 하는 주요한 목표가 바로 본심을 다시 찾는
데 있다고 주장했습니다. 맹자의 말로 하면, 잃어버린 마음을 찾
는 '구방심(求放心)'입니다. 일이 많거나 심리적 부담이 많은 것
이 우리가 겪는 문제의 핵심이 아닙니다. 중요한 것은 자기 마음
을 조절할 수 있느냐입니다.

맹자(孟子, 약 BC 72~ BC 289)는 《맹자》〈고자편〉에서 "사람이
닭이나 개를 잃어버리면 곧 찾을 줄 아나, 잃어버린 마음은 찾
을 줄 모른다. 학문의 도는 다른 것이 아니다. 그 잃어버린 마음
을 찾는 것뿐이다."라고 했습니다. 바로 이것이 '구방심'입니다.
'방심'이란 잃어버린 마음입니다. 집에서 닭이나 개를 잃어버렸
다면 지체 없이 그것을 찾아 나설 것인데, 닭이나 개보다 1만 배
더 귀중한 것을 잃어버렸는데도 그것을 찾아 나서지 않는다고
하니 참으로 슬픈 이야기입니다. 결론으로 맹자는 "학문의 도는
다른 것이 아니라 잃어버린 마음을 찾는 것일 뿐이다."라고 했
습니다. 여기서 '학문'이란 오늘날 학교에서 배우는 교과목 같은
것이 아니라 더 나은 인간이 되기 위한 학습의 과정을 말합니
다. 더 나은 인간이 되기 위해서는 우리에게 가장 중요한 것, 즉
마음에 집중해야 합니다. 잃어버린 마음부터 찾아야 합니다. 마
음을 찾아 잘 지키고 소중히 여겨 나은 방향으로 발전하게 해야
합니다.

이처럼 우리의 마음은 다스림이 필요합니다. 옛사람들은 '인
심(人心)'은 태어날 때부터 완전무결하다고 생각하지 않았습니

다. 《성경》도 여러 곳에서 '마음의 다스림'을 강조합니다. 대표적으로 〈잠언〉에서 이렇게 교훈합니다. "모든 지킬 만한 것 중에 더욱 네 마음을 지키라 생명의 근원이 이에서 남이니라"(잠언 4:23). "노하기를 더디하는 자는 용사보다 낫고 자기의 마음을 다스리는 자는 성을 빼앗는 자보다 나으니라"(잠언 16:32). "내 아들아 너는 듣고 지혜를 얻어 네 마음을 바른 길로 인도할지니라"(잠언 23:19). "자기의 마음을 제어하지 아니하는 자는 성읍이 무너지고 성벽이 없는 것과 같으니라"(잠언 25:28). "내 아들아 지혜를 얻고 내 마음을 기쁘게 하라 그리하면 나를 비방하는 자에게 내가 대답할 수 있으리라"(잠언 27:11).

끝없이 최상위 자리를 향해 달려가는 '슈퍼맨 증후군'을 분석해 보면, 현대인이 겪는 병의 근원이 자기 마음을 다스리지 않는 데 있음을 확인할 수 있습니다. 매일 비즈니스와 미래 준비로, 이리저리 얽혀있는 인간관계와 네트워크를 관리하느라, 돈을 벌고 쓰고 모으고 관리하는 데 에너지를 집중해서 소비하기에, 무엇보다도 중요한 '마음을 다스릴(治心)' 생각마저 하지 못합니다.

가장 중요한 일인데도 신경을 쓰지 않고 내버려 두면 결국에는 문제가 생깁니다. 마음을 다스리지 못하면, 마음의 병이 심해집니다. 과도한 긴장과 심리적 스트레스가 커지고, 건강에 여러 문제가 생겨 병을 몸에 달고 살게 됩니다. 현대인이 겪는 병인 중 가장 흔한 것이 '심인성(心因性) 요인'입니다. 마음의 문제가 몸의 문제가 되었다는 의미입니다.

나를 완전함으로 지어간다는 것은, 누구도 따라올 수 없는 성공을 이루어 내는 것이 아니라, 나의 마음을 다스리는 것(治心)입니다. 헛된 것에서 참된 것으로 마음의 결을 바꾸는 것입니다.

슈퍼맨 증후군이 생겨나는 것은 엘리트의 역할 의식과 관련되어 있기도 하지만, 인생을 바라보는 태도와도 관련되어 있습니다. 오늘날 우리 사회 곳곳에서 성행하는 성공과 돈에 급급한 정서와 관련되어 있습니다. 인생을 위한 도구여야 할 성공과 돈이 인생의 목표가 되어버린 것은 우리가 극복해야 할 마음의 병입니다.

성공과 돈에 목말라 하는 것이 일종의 거대한 사회적 흐름이 되었습니다. 이 흐름을 따르지 않고 사는 것이 무척이나 어려운 일로 여겨집니다. 부동산에 올인하고 주식에 매달리는 사람들이 많습니다. 하지만 마음의 병이 생명에 미치는 커다란 영향을 고려한다면, 우리는 강물을 거슬러 올라가는 연어처럼 온갖 어려움을 무릅쓰고 소중한 것을 선택할 것입니다. 무엇보다 우리의 마음이 눈앞의 성공과 이익에서 벗어나 생명을 소중히 여기는 방향으로 향하도록 선택할 것입니다.

세상 전체를 바꿀 수는 없어도, 내가 사는 세상은 나의 선택으로 바꿀 수 있습니다. 나의 선택을 통해 내가 사는 세상은 사람이 사람답게 사는 세상이 됩니다. 나의 세상을 방문하는 이들도 함께 나의 세상을 경험합니다. 모든 것이 마음을 다스리는 것에서 시작한다는 것을 바로 나에게서부터 시작하려 합니다. 혹

이러저러한 까닭으로 이 마음을 잃어버린다면 무엇보다 마음을 찾는 것부터 하겠습니다.

오늘은, 에티오피아 시다모를 마셔야겠습니다. 카페인이 거의 없어 저녁에 마셔도 부담이 없는 커피, 레드와인 같은 농밀한 산미와 강한 향이 인상적인 커피에 시원한 얼음을 더해 최고의 청량감을 느끼며 하루를 마십니다.

🦋 바망한 모금

세상만사 마음먹기에 달렸다.
세상을 얻고 싶으면
마음부터 단단히 지켜야 한다.

에티오피아 시다모는 예가체프와 더불어 '커피의 귀부인'이란 칭호를 받는 커피다. 에티오피아 고원의 시다모(Sidamo) 지방에서 해발 1,500~2,200m 지대에서 자란다. 부드러운 신맛과 단맛, 꽃향이 가득하다.

CHAPTER 06

망중한의

읽고 듣고 말하기의 일상

나의 OST는 무엇입니까?

●

누구나 좋아하는 음악이 있습니다. 그리고 특별한 음악도 있습니다. 각각의 상황에 따라 듣고 싶은 음악이 따로 있는 경우도 많습니다. 음악은 인간이 만들어낸 가장 아름다운 선물 가운데 하나입니다. 만약 음악이 없다면 삶도 세상도 건조하고 무미하겠지요. 우리는 늘 음악과 함께 살아갑니다. 현대인들이 누리는 행운을 꼽으라면 저는 주저하지 않고 음악을 들겠습니다.

옛날 사람들이 음악을 '듣는' 건 특별한 경우에나 가능했습니다. 물론 누구나 흥얼거리는 노래가 있으니 전혀 없는 건 아니겠지만 전문음악가가 최상의 연주로 들려주는 건 귀족들이나 누릴 수 있는 특권이었습니다. 그러나 현대인은 언제 어디서나 음악을 들을 수 있습니다. 이제는 거리를 걷거나 산에 오르면서도 블루투스로 편리하게 음악을 듣는 세상입니다. 예전에는 꿈도 꾸지 못했던 일들을 우리는 매일 일상에서 누리고 있습니다. 그것만으로도 나는 현대인으로 태어난 것이 얼마나 다행스러운지 모르겠습니다. 그 발전에 경의를 표하고 싶어집니다. 음악은 삶의 엄청난 선물입니다. 그것을 마음대로 들을 수 있다는 건 어마어마한 혜택입니다. 대부분의 음악은 우리를 도타운 정서로 감싸줍니다.

아름다운 음악은 마음을 부드럽게 해줍니다. 음악은 그 자체로 최고의 처방전입니다. 마음이 아플 때 듣는 음악은 나의 아픈 곳을 아는 듯한 느낌입니다. 그래서 사랑에 빠지면 유행가 가사가 모두 자기 이야기처럼 들린다고들 하죠. 기쁠 때 즐거운 음악을 들으면 행복이 배가되는 느낌이 드는 것 또한 음악이 주는 매력입니다. 숲길을 걸을 때 바흐의 무반주 첼로 모음곡이나 파르티타를 들으면 그 자체로 이미 환상적입니다. 커피 한 잔 마시며 밥 딜런이나 김광석의 노래를 듣는 건 또 어떻구요.

영화나 드라마의 주인공은 아름답고 부럽습니다. 누구나 주인공이 되고 싶어 합니다. 그러면서 내가 주인공이 되지 못하는 게 못마땅합니다. 그러나 유심히 보면 영화나 드라마나 주인공들이라고 해서 특별한 건 없습니다. 카메라가 그들에게만 초점을 맞추니 그들의 삶이 특별해 보이고, 게다가 적당한 배경음악까지 있으니 저절로 그들에게 우리의 눈이 끌립니다. 그렇다면 내 일상에도 배경음악이나 주제가를 만들어 놓고 그것을 깔아놓으면 주인공이 될 수 있는 셈입니다. 내게도 OST가 있다면 일상이, 매순간이 건조하고 타성적이지 않을 듯합니다. 어떤 음악을 배경음악 혹은 주제가로 삼고 싶으신가요? 어떤 이는 이렇게 말합니다. "드라마나 영화는 불필요한 부분을 제거하고 핵심적인 부분만 떼놓은 상태에서 보여주기 때문에 몰입되는 삶의 이야기일 뿐이다."라고 말입니다. 맞는 말입니다. 내 삶도 그렇게 돌아볼 수 있다면 주인공의 삶이 되겠지요. 내 삶에서, 내 하루에서 핵심적인 부분은 무엇일까요?

하루의 일과를 마치고 잠깐 산책할 때 스마트폰에서 미리 정해둔 나의 주제가를 골라 이어폰으로 들으면서 천천히 걸으면, 그 순간만큼은 우주의 모든 중심이 바로 내가 됩니다. 내가 오늘 하루라는 드라마의 주인공입니다. 다른 사람이 어찌 생각하건 나는 오늘의 주인공입니다. 내가 걷는 길은 로케이션 헌터(location hunter)가 미리 잡아놓은 길입니다. 주인공이 걸어야 하는 길이니까요. 한낮의 거센 기운은 이미 꺾이고 겸손하게 고개 숙이는 태양이 내려놓은 조명은 스포트라이트가 되어 나에게 집중됩니다. 그 모든 것을 가능하게 하는 건 '주인공의 주제가'가 계속해서 이어지고 있기 때문입니다. 드라마의 주인공이 뭐 별거인가요?

음악은 참 직관적입니다. 이성적으로 분석하고 이해하는 것을 건너뛰고 곧바로 우리의 감성에 와 닿습니다. 그런 점에서 미술보다 훨씬 더 직관적입니다. 물론 미술도 형태와 색채 등으로 조형을 직관하는 것이기는 하지만 형태를 포착하고 구도를 이해하며 색채의 적절함 등을 따지면서 나에게 들어옵니다. 그에 비해 음악의 인상은 나의 감각과 감성에 직접 들어옵니다. 계절을 가리지 않고 '라라의 테마'를 들으면 자동적으로 〈닥터 지바고〉를 떠올리고 설원에서의 애절한 사랑이 연상됩니다. 또한 모차르트의 교향곡 25번 1악장을 들을 때마다 밀로스 포먼의 〈아마데우스〉의 특정한 장면이 떠오르기도 합니다.

어릴 적 옆집에 사는 아저씨는 술을 꽤나 좋아하신 분이셨는데 그분의 퇴근을 동네 사람 모두가 '귀로' 알 수 있었습니다. 막걸리 한잔 걸치고 고운봉의 〈선창〉을 흥얼대며 귀가했기 때문입니다. 하도 많이 들어서 어린 나도 "울려고 내가 왔던가 웃으려고 왔던가/비린내 나는 부둣가에~"하는 노래를 자동적으로 외울 정도였습니다. 그 아저씨께는 그 노래가 주제가였습니다. 지금도 어쩌다 TV '가요무대' 등에서 그 노래를 들으면 50년도 훨씬 넘은 시간인데도 그 아저씨의 얼굴이 또렷하게 떠오릅니다.

사연이 담긴 노래면 더더욱 강하게 각인됩니다. 헤어진 옛 사랑이 좋아하던 음악을 길거리에서 우연히 듣게 되었을 때 겨우 잊었던 그 사람이 떠올려져 눈물이 왈칵 쏟아질 듯해서 가까스로 참아냈던 경험을 했던 사람이라면 그게 어떤 것인지 쉽게 이해할 수 있습니다. 돌아가신 어머니께서 즐겨 듣던 노래를 라디오에서 들었을 때도 하루 종일 어머니 생각에 가슴이 먹먹해집니다. 그런 점에서 오르골은 특별한 사물입니다. 귀여운 장난감 오르골은 오직 하나의 노래만 되풀이합니다. 그런데도 지겹지 않은 건 그걸 골랐을 때의 마음이나 선물해준 사람이 언제나 떠올려지기 때문입니다. 마치 "사랑해"라는 말은 아무리 들어도 지겹지 않은 것처럼 말입니다. 그래서 어떤 이는 아침마다 자신이 좋아하는 노래가 담긴 오르골의 태엽을 감으면서 살아있음을 느끼고 하루를 농밀하게 살아야겠다고 생각을 다잡는다고 하더군요.

인간이 만들어낸 무수히 많은 창조물 가운데 무엇이 가장 위대할까요? 생존에 가장 획기적인 건 불의 발견이었을 겁니다. 무엇보다 불을 만들어냄으로써 '요리'가 가능해졌고, 요리를 통해 더 많은 영양소를 섭취하며 더 빠르고 쉽게 소화함으로써 뇌가 엄청난 에너지를 발휘할 수 있게 되었습니다. 문자의 발명도 그렇고, 증기기관을 비롯한 새로운 동력체계의 발명도 인류 문명을 발전시킨 원동력이었습니다. 그러나 음악이 없었다면 인간의 행복은 크게 줄었을 겁니다. 많지 않은 음계를 가지고 어찌 그렇게 늘 새롭고 멋진 음악을 만들어낼 수 있을까 생각해보면 참으로 신기할 뿐입니다.

인간은 음악을 통해 내면의 생각과 느낌을 표현하거나 발산합니다. 그래서 공자(孔子, B.C. 551~B.C. 479)는 "시에서 흥하고 예에서 일어나고 음악으로 완성된다(興於詩 立於禮 成於樂, 흥어시 입어례 성어락 《논어》〈태백〉편)"라고 했습니다. 달리 해석하면 '시를 가르침으로써 학문이 비롯되고 예를 가르침으로써 제 구실을 하는 사람이 되며 음악을 가르침으로써 인격이 완성된다'라는 뜻이기도 합니다. 실제로 공자는 음악을 매우 아끼고 즐겼습니다. 마음에 드는 음악을 들으면 그토록 좋아하던 고기음식에도 마음이 끌리지 않는다고 고백했을 정도입니다. 공자는 음악을 인간의 삶과 우주의 질서가 호응하는 것이라 여겼습니다. 그래서 인간은 좋아하는 음악을 들을 때 자연스럽게 행복하고 선해지는 것이 아닐까 싶습니다.

내가 노래를 잘 부르지 못하고 악기를 잘 다루지 못한다고 해서 음악을 즐기지 못할 이유는 없습니다. 들어서 즐겁고 흥겨운 것으로도 이미 큰 행복입니다. 수많은 음악 가운데 나의 주제곡으로 삼을 곡을 몇 개 골라 상황에 따라 귀로 마음으로 내 주위에 깔아놓으면 나는 언제나 주인공입니다. 내 삶의 카메라는 늘 나에게 초점을 맞추고 돌아갑니다. 내 주제가와 거기에 걸맞은 스포트라이트를 내 삶에 비추는 순간 나는 언제나 주인공입니다. 주인공이 시시하고 무기력하게 살아서야 되겠습니까? 모든 순간이 의미와 가치를 담고 있습니다. 나는 주인공이기 때문입니다. 주인공이 시시하게 살 수는 없습니다.

해넘이 전에 짧은 산책을 다녀올까 합니다. 오늘은 어떤 음악을 나의 주제가로 정할까 생각하는 것만으로도 이미 오늘의 산책은 영화 한 편입니다. 물론 주인공은 나 자신입니다.

 햇살 한 컵

배경음악과 주제가가 있어서 주인공이 아니라,
주인공이 만들어내는 삶이
배경음악이고 주제가다.

나의 귀는 무엇을 듣고 있을까요?

●

나는 베토벤(Ludwig van Beethoven, 1770~1827)의 음악을 특별히 좋아합니다. 들을수록 그의 음악이 위대하다고 느낄 수밖에 없습니다. 그래서 언젠가는 베토벤이 태어난 곳, 살았던 곳을 순례하고 싶다는 바람이 있습니다. 어떤 이가 그렇게 다녀왔습니다. 남들은 화려한 궁전이나 성당 혹은 유명한 다리 등의 건물에 감탄하며 카메라 셔터를 누르느라 정신이 없는데 그는 조용히 베토벤이 걸었던 길을 걷고 있을 때 가장 행복했다고 합니다. 저도 언젠가는 그 길을 걷고 싶습니다.

그 친구는 베토벤이 걸었던 산책로에서 때론 그의 피아노 소나타가 저절로 들렸고 때론 그의 교향곡 가운데 한 악장이 들리기도 했다며 흥분했습니다. 그 길에서 베토벤의 발자취와 함께 그의 음악을 듣는다는 건 얼마나 행복한 일일까요.

다행히 지금 내가 사는 아파트는 뒤로 북한산 자락을 깔고 앉았고, 길 건너 앞에도 아담하고 아름다운 능선이 흐르고 있어서 자주 산길을 오릅니다. 숲길을 걸을 때마다 나뭇잎들이 바람에 살랑이며 사각대는 소리, 새들의 유쾌한 지저귀는 소리를 듣습니다. 얼마나 아름다운지 늘 감탄하고 감동을 받습니다. 만약 그런 소리들을 듣지 못한다면 그 길이 참 건조하고 무미할 듯합니다. 상상만으로도 답답한 일이지요.

언젠가 기회가 되어 유럽에 다시 가게 되면 베토벤이 걸었던 그 길을 걸어볼 참입니다. 그런데 귀를 막고 걸어 볼까 합니다. 그 아름다운 길에서 들을 수 있는 새소리, 물소리, 바람 소리가 무척이나 아름답겠지만 정작 베토벤이 그 소리를 듣지 못했다는 걸 떠올리며, 그의 심정을 조금이나마 이해해 보고 싶습니다.

우리는 뜻밖에도 소리에 매우 민감합니다. 같은 소리라도 아침, 낮, 밤에 듣는 소리의 밀도나 음량이 다르게 느껴집니다. TV 드라마를 시청할 때도 배경음악, 효과음 등에 의해 극의 몰입도가 달라집니다. 아무리 무서운 공포 영화도 '음 소거' 버튼을 누르면 별로 무섭지 않습니다. 그만큼 모든 소리는 자신의 역할과 기능이 있습니다. 그리고 그 소리를 받아들이는 사람도 그것에 따라 다른 느낌을 경험합니다.

그런데 음악가가 소리를 듣지 못한다는 건 푸른 하늘의 난데없는 벼락과 다르지 않겠지요. 마치 화가가 시력을 완전히 상실

해서 보지 못하는 경우처럼 말입니다. 그런데도 베토벤은 거기에서 소리를 '읽어냈고' 놀라운 음악을 빚어냈습니다. 그야말로 초인(超人)이 아니고서야 불가능한 일입니다.

물론 머리와 가슴으로 소리를 느끼고 눈으로 악보를 읽을 수 있으니 곡을 만들 수는 있었겠지요. 하지만 아무리 그렇다 해도 정작 자신이 만든 곡조차 듣지 못하는 작곡가의 절망은 짐작하기 어렵지 않습니다. 오죽하면 음악가로서 천형일 수밖에 없는 청맹(聽盲)의 상황에 못 견뎌 하일리겐슈타트에서 유서를 쓰며 스스로 삶을 마감할 생각까지 했겠습니까.

새들이 부지런히 이 나무에서 저 나무로 옮겨 다니는 걸 보면 분명히 지저귀고 있을 텐데 내 귀에는 들리지 않는다면, 개울이 부지런히 흐르고 있는데 물소리를 전혀 들을 수 없다면 나는 어떤 느낌이 들까 상상해봅니다. 끔찍한 일입니다. 그래서 베토벤의 음악은 침묵을 깨고 나온 위대함을 지녔습니다. 가끔은 그의 신발을 신고 걸어봐야 그 음악의 진가를 더 짙게 느낄 수 있을 듯합니다.

다행히 나는 청력이 나쁘지 않아 어지간한 소리는 다 듣습니다. 그러나 곰곰 생각해보면 꼭 들어야 할 소리는 그리 많지 않다는 걸 깨닫습니다. 그리고 정작 꼭 들어야 하는 소리는 놓치며 사는 경우도 많습니다. 별것도 아닌 것에 마음이 끌리고 생각을 빼앗기기 때문입니다. 귀가 있다고 한들 제대로 듣지 못하니 청각장애인인 셈입니다. 그게 비단 소리에만 국한되는 것은 아닙니다. 앞에 있는 사람에게 최대한 집중하고 그의 말에 귀를 기울이지 못하고 자신의 말만 쏟아내기 바쁜 것도 크게 다를 바 없습니다. 그런데도 우리는 그렇게 삽니다.

베토벤이 짧은 순간이나마 꼭 듣고 싶은 소리를 귀로 들을 수 있었다면, 그에게는 그것이 얼마나 경이롭고 황홀했을까요? 어쩌면 그는 마음의 귀를 활짝 열고 모든 소리를 들었을지도, 혹은 영혼의 소리를 들었기에 세속의 사소한 잡소리 따위를 듣지 않아서 다행스럽다 여겼을지도 모르겠습니다. 몸의 귀는 열려 있어서 부질없고 쓸데없는 소리들은 하나도 거르지 않고 들으면서 정작 내면의 소리나 영혼의 울림에는 귀를 막고 있지는 않는지 생각해 봅니다.

어떤 이는 자신이 듣고 싶은 소리만 듣고 달콤한 말만 좋아하기도 합니다. 앞의 경우는 인지부조화에 빠지는 함정이고, 뒤의 것은 아부와 아첨을 조장하는 것입니다. 성경에서도 예수는 '알아들을 귀'를 강조합니다. 불경은 또 어떤가요? "나는 이렇게 들었다(如是我聞, 여시아문)"라고 시작합니다. 제대로 듣지 않으면 그렇게 말할 수도 없고 자격도 없습니다. 그런데 오늘 우리는 온갖 쓰레기 같은 말들만 용케 가려 뽑아 들으며 '누가 그러더라'며 합리화하는 데 주저하지 않습니다. 그러니 그런 귀는 그저 안경이나 마스크 쓰는 '꽂이'나 '걸개' 역할 이상을 하지 못하는 것이겠지요.

언젠가 베토벤이 걸었던 길에서 귀를 막고 그의 '무음(無音)'을 공감해보기 위해, 가끔은 앞산에 오를 때 귀를 막아볼 생각입니다. 내면의 소리와 영혼의 울림을 들을 수 있다면야 더 이상 바랄 것 없지만, 몸의 귀를 잠깐 닫고 영혼의 귀를 여는 데에 조금이라도 도움이 되지 않을까 싶습니다.

오늘 밤에는 베토벤의 마지막 작품인 현악 4중주 제16번 바장조 작품번호 135를 들어볼까 합니다. 밀란 쿤데라(Milan Kundera, 1929~)가 《참을 수 없는 존재의 가벼움》의 주제와 모티프로 이 음악을 선택한 이유도 생각하면서, "그래야만 하는가?(Muss es sein?)"라고 묻고 곧바로 "그래야만 한다(Es muss sein)!"고 재확인하는 의미를 되새기면서.

 햇살 한 컵

무음을 듣는 것이
최상의 청음이다.

책을 읽는 것에 대하여

●

책을 권하고, 책을 쓰고, 책을 만드는 일과 오랫동안 인연을 맺고 살아오다 보니 책과 관련된 이야기를 나눌 때가 많습니다. 수많은 책이 존재하는 것처럼 책과 관련된 이야기도 다채롭고 한계가 없습니다. 책에 관한 이야기를 반복하지만, 같은 이야기를 반복한 적은 없습니다. 그런데 반복되는 질문은 있습니다. 책을 읽는 것의 의미에 관한 질문입니다. 책을 즐겨 읽는 이나 책을 읽지 않는 이나 "책을 왜 읽어야 하느냐, 책을 어떻게 읽어야 하느냐"라고 묻습니다.

처음 질문을 받았을 때 쉽게 답하지 못했습니다. 답을 하기 위해서는 자신에게 먼저 질문해야 했습니다. '나는 왜 책을 읽는지, 어떻게 읽고 있는지' 물어야 했습니다. 지식에 대한 갈증이 책 읽기의 시작이었습니다. 지식을 채우는 과정은 맛있는 음식을 먹는 것만큼 큰 즐거움입니다. 다른 것으로는 대체할 수 없는 즐거움이기도 합니다. 모든 것이 그렇듯 책 읽기에도 함정이 있습니다. 채워진 지식을 자랑하려는 허영으로 이어지기 쉽습니다. 나 역시 작은 함정들에 자주 빠졌습니다. 그것의 덧없음을 발견한 후에 진짜 책 읽기가 시작되었습니다.

자기 자신과 분리된 책 읽기는 자기 몸과 어울리지 않는 음식을 섭취하는 것과 같습니다. 알레르기 반응이 일어날 수도 있고, 제대로 소화하지 못해 어려움을 겪을 수도 있습니다. 나는 밥도둑이라고 불리는 간장게장을 먹지 못합니다. 참 맛있게 먹고 심하게 탈이 난 후로 알레르기 반응이 일어나서 먹지 못합니다. 먹고 싶지만 먹지 않습니다. 참 맛있는 음식이지만, 나와 연결해서는 안 되는 음식이기에 먹지 않습니다. 이처럼 나와 연결해서는 안 되는 음식이 있듯이 내 속에 채워서는 안 되는 지식이 있습니다. 탈이 나지는 않겠지만, 굳이 내 속에 채우지 않아도 되는 지식도 있습니다.

책 읽기는 나와 분리되었던 지식을 채우고 쌓는 시간이 아니라 나를 더 나답게 만들어가는 과정이자 삶의 순간입니다. 삶과 분리된 지식은 내면에 자리 잡지 못하고 겉으로 드러납니다. 주목받기 위해 겉모습에 덧대는 액세서리가 됩니다. 액세서리가 쓸모없다는 이야기가 아닙니다. 나와 어울리는 나다운 액세서리가 필요합니다. 그렇지 않으면 액세서리만 주목을 받습니다. 액세서리의 주인인 나는 의미 없는 존재가 됩니다. 이렇게 책 읽기의 의미가 정리된 이후에는 '왜 책을 읽고, 어떻게 읽고 있는지'를 물으면 '제대로 살기 위해서 읽는다'라고 답합니다.

지식의 바다는 실제의 바다보다 넓습니다. 역사가 흘러 쌓인 만큼 그 두께가 엄청납니다. 나는 목표를 가진 독서를 선호합니다. 명확한 목표가 없으면 목적지에 도착하지 못하고 표류하게 됩니다. 목표 없이 계획 없이 무작정 읽어 치우는 독서는 별 도움이 안 됩니다. 한 권의 책을 읽을 때마다 얻으려는 목표를 설정하는 것이 옳습니다. 책마다 얻어야 할 내용이 다르고, 목표도 같지 않습니다. 목표가 없는 책 읽기에는 꼭 읽어야 할 좋은 책이란 없습니다.

삶을 위해 책을 읽은 사람과 무작정 읽은 사람은 자신이 읽어 온 책들에 담긴 지식과 관련된 삶의 문제를 만났을 때 그 차이가 드러납니다. 위기를 만났을 때 문제 앞에서 허둥거리기만 한다면, 그때까지 독서는 죽은 독서일 뿐입니다. 상황 속에서 위력을 발휘해야 제대로 한 독서입니다.《오직 독서뿐》에서 정민 교수는 이익(李瀷, 1681~1763) 선생의 《논어질서서(論語疾書序)》에 담긴 독서에 관한 다음의 글을 소개합니다.

오늘날 사람들은 책은 존중하지만, 그 정신은 잃었다. 글은 읽으면서도 그 뜻은 저버리고 만다. 깊이 생각하면 잘못이라 하고, 의문을 제기하면 주제넘다 하며, 부연 설명하면 쓸데없는 것이라 한다. 곧이곧대로 규정하여 모든 사소한 부분까지도 성역을 설정하는 데 힘을 쏟는다. 그 결과 둔한 사람과 총명한 사람을 구분할 수가 없게 되었다. 이것이 어찌 옛사람이 뒷사람에게 기대하는 바이겠는가?

현대사회는 진지한 인간들을 싫어합니다. "왜?"라고 질문하고, 그 질문에 긴 답을 품은 사람들은 '진지충'으로 불립니다. 쉴 새 없이 올라오는 광고와 포스트에 즉각적으로 반응하는 이들이 필요한 세계에서 "왜?"라는 질문은 무겁기만 하고 쓸모가 없습니다. 굳이 답을 해야 한다면 "그냥"이거나 "재미있으니까"이면 됩니다. 생각이 많은 사람은 구매 버튼을 쉽게 누르지 않습니다. 생각보다 먼저 반응해야 구매가 늘어납니다.

자신이 받은 감정과 욕망의 자극을 더 큰 자극으로 증폭하는 이들은 '인플루언서(Influencer)'라는 아주 정확한 이름으로 불리며 환영받습니다. 경험을 나누는 것이 잘못되었다고 이야기하는 것이 아닙니다. 생각이 사라져서는 안 된다고 이야기하는 것입니다. '인터넷이 우리의 뇌 구조를 바꾸고 있다'라는 화두를 던진 《생각하지 않는 사람들》에서 IT 전문가이자 칼럼니스트인 니콜라스 카(Nicholas George Carr, 1959~)는 "컴퓨터와 인터넷에 대한 무조건적인 믿음과 무분별한 사용이 얕고 가벼운 지식을 양산했다"라고 이야기합니다.

삶을 위해 깨달아야 할 지식은 여러 겹으로 포장한 물건과 같습니다. 한 겹 한 겹 포장지를 끝까지 풀어야 그 안에 무엇이 들었는지 확인할 수 있습니다. 삶을 위한 책 읽기가 이러합니다. 핵심을 파악해야 비로소 책 읽기가 끝이 납니다.

그런데 처음부터 핵심을 드러내는 책은 없습니다. 핵심을 만날 때까지 계속 읽어야 합니다. 몰입하는 독서라야 제대로 된 독서입니다. 책 속으로 비집고 내가 들어가야 합니다. 책 읽기를 집 구경에 비유하기도 합니다. 바깥에서 집을 보고 나서 "다 보았다"라고 할 수 없습니다. 집 안으로 들어가서 천천히 살펴보아야 합니다.

거의 예외 없이 모두가 분주하게 움직이는 세상입니다. 분주하게 유동하는 세상이지만, 틈을 내어 자신과 인생을 조망하는 시간을 갖는다면, 이러저러한 소리에 쉽게 생각과 마음을 빼앗기지 않을 겁니다.

바로 이것이 자신과 삶을 위한 책 읽기가 필요한 까닭입니다. 쉴 새 없이 쏟아지는 뉴스와 포스트, 광고와 알림으로 소란스러운 세상이지만, 삶에 대해 "왜?"라고 질문하고 그 질문에 답을 찾는 책 읽기를 이어간다면, 요란한 소음에 끌려다니지 않습니다.

구매한 상품의 상자를 개봉하는 과정을 즐기고 자랑하는 '언박싱(unboxing)'이 유행입니다. 겹겹이 쌓인 포장지를 벗겨내며 삶을 위한 지식을 찾아가는 언박싱, 자신과 삶을 위한 책 읽기에 참여하는 이들이 더 많아지기를 기대합니다.

오늘은, 자메이카 블루마운틴을 마셔야겠습니다. 수출용 포대(bag)에 원두를 담는 것과 달리 나무상자에 담기는 커피, 커피의 황제 자메이카 블루마운틴. 특별한 날엔 나무상자에 담긴 특별한 커피로 하루를 마십니다. 세상 무엇보다 특별한 나를 위해.

과정의 멋에 빠지지 마라.
겉으로 드러나는 찬사에 매이지 마라.
책 읽기도 인생도
속을 채우는 것이 먼저다.

자메이카 블루마운틴은 1950년에 설립된 자메이카 커피 산업 위원회의 철저한 감독 아래에 생산된다. 위원회는 특정 지역(블루마운틴 해발 1,200m 이상)에서 생산된 커피만을 블루마운틴으로 인정하도록 법령을 정하고, 엄격한 품질관리로 생산량을 제한하고 있다. 이렇게 특별한 과정을 통과한 커피만이 나무상자에 담긴다.

참 좋은 친구, 책

●

　20만 년쯤 되는 인류의 역사에서 글자의 출현은 그리 오래되지 않았습니다. 대략 5천 년 전쯤, 혹은 넉넉히 잡아도 기껏해야 8천 년 전쯤에 이루어진 일입니다. 우리의 글자인 한글이 만들어진 건 겨우 600년도 되지 않았습니다. 세상에는 아예 자신들의 글자를 갖지 못하고 살아가는 민족들도 많습니다. 독일의 철학자 야스퍼스(Karl T. Jaspers, 1883~1969)는 글자가 만들어졌던 시기 이후 인류 문명의 중대한 발전이 있었던 시기를 '축(軸)의 시대(the Axial Age)'라고 불렀습니다. 기원전 8세기부터 기원전 3세기까지를 일컫는 말인데 야스퍼스는 이 시기에 새로운 사상과 철학이 중국, 그리스, 인도, 페르시아에서 직접적 문화교류 없이 발생했다고 주장하며 비로소 인류가 문명다운 문명을 만들어가기 시작했다고 정의했습니다. 그 중심에는 글자의 출현이 있습니다.

글자가 만들어졌을 때 글을 쓰거나 읽을 줄 아는 사람은 얼마나 되었을까요? 극소수에 불과했습니다. 권력의 맨 위에 있는 이들, 종교 지도자들과 그들에게 봉사하는 소수의 학자들이 겨우 글을 읽었습니다. 왕도 문맹인 경우가 허다했습니다. 글은 여러모로 유용합니다. 무엇보다 직접적인 경험과 전달의 한계를 벗어날 수 있습니다. 수많은 지식과 경험을 축적해서 다음 세대에 물려줄 수 있다는 건 엄청난 혁명이었습니다. 기억을 오래 저장할 수 있다는 것 또한 매력적인 요소였습니다. 그것 자체가 이미 하나의 막강한 권력이었습니다. 그래서 자신들만 문자를 소유하기를 원했습니다. 그들의 바람대로 오랫동안 그렇게 이어졌습니다. 돈이 없으면 문자를 기록하고 보관하는 것도 어려운 일이었습니다. 점토건 양피지건 문자를 기록하고 보존할 수 있는 도구는 많은 비용을 요구했습니다.

중세와 르네상스 시기에도 여전히 많은 이들은 글자를 읽지 못했고 책을 구입하는 건 꿈도 꾸지 못했습니다. 유럽의 고딕 성당에 그토록 많은 조각과 그림이 있는 것도 사실은 글을 모르는 이들에게 교회의 가르침을 전달하기 위해서였습니다. 그러나 시간이 지나면서 종이와 인쇄술의 발달로 많은 사람들이 드디어 글을 통해 많은 지식과 정보를 얻을 수 있었습니다. 이것은 거대한 혁명이었습니다. 프랑스혁명을 불 지핀 것도 글과 책이었습니다. 물론 그 혁명으로 당장의 자유를 얻은 건 아닙니다. 산업혁명은 더 많은 사람들에게 글을 가르치게 했습니다. 양질의 노동력을 위해서 교육은 필수적이었습니다. 본격적인 공공

학교도 그렇게 생겨납니다. 드디어 보편적인 글의 시대가 되었습니다.

사실 글자는 불편합니다. 직관적인 그림, 즉 상(像)과는 달리 글은 기호입니다. 약속된 기호입니다. 일정한 법칙이 있습니다. 기호의 운용체계를 이해해야 비로소 글을 깨우치고 활용할 수 있습니다. 글을 읽고 이해한다는 건 그 기호가 나타내는 그림을 떠올릴 수 있다는 것입니다. 그러니까 '상-기호-상'의 지각과정이고 최종적으로는 기호로 저장합니다. 꽤 복잡하고 에너지가 쓰입니다. 그래서 많은 사람들이 글 읽기를 싫어하는 거겠지요?

이제는 다시 상(그림)의 시대로 접어들었습니다. 어마어마한 정보와 지식이 그림으로 전달됩니다. 심지어 움직임까지 다 담기고 거기에 소리까지 담겨있습니다. 과학이 만들어낸 혁명이고 선물입니다. 그래서 우리는 다시 책과 멀어지는 듯합니다. 문명의 이기를 굳이 거부하는 건 어리석은 일입니다. 마음껏 누려야지요. 그것은 우리의 특권이기도 하니까요. 그러나 그게 전부일 때 그것은 그리 바람직하기만 하지는 않다는 것도 기억해야 합니다. 무엇보다 주체적인 삶이 자칫 어려울지 모르기 때문입니다. 영상정보는 적어도 그것을 보는 순간에는(나중에 다시 보기를 할 수는 있어도) 오로지 제공자의 속도에 따라야 합니다. 잘 이해가 되지 않더라도 천천히 해달라고 할 수 없고 아예 모르는 경우 처음부터 다시 설명해달라고 할 수도 없습니다. 빤한 경우 대강 건너뛰고 핵심만 다뤄달라고 할 수도 없습니다. 게다가 영상은 제작자가 철저하게 계산하고 해석된 것을 제공하는 것이기에 은연중 그의 해석에 의존하게 됩니다.

그러나 글을 읽을 때는 전혀 다릅니다. 이해가 되지 않으면 자연히 천천히 읽고 그래도 모르면 다시 읽으면 됩니다. 아는 내용이 반복되면 건너뛰면 됩니다. 철저히 '나의 속도'에 따릅니다. 그리고 아무래도 글을 쓴 사람의 생각을 먼저 받아들일 수밖에 없지만, 나의 속도 속에서 내가 생각하고 비판하고 해석하는 것이 자연스럽게 이루어집니다. 그러니 전적으로 글 쓴 사람에게 의존하지는 않습니다. 그런 점에서 여러 가지로 매우 주체적입니다.

그뿐인가요? 어떤 낱말 하나 앞에서 큰 인상을 받아 오랫동안 그 앞에 서서 여러 생각을 떠올릴 수 있습니다. 사소한 부사나 관형사 하나가 내게 강력한 영향력을 발휘해서 한참을 그 충격이나 감동 혹은 매혹적인 사유에 깊이 빠져 오래 음미할 수도 있습니다. 글이나 책이 아니고서는 얻기 어려운 경험입니다. 그런 점에서 책은 참 매력적입니다. 그러니 상의 시대라고 해서 영상에만 의존하는 건 어리석은 일입니다. 물론 지금 우리가 누리는 영상 미디어들은 옛날 사람들은 상상도 못하던 축복이고 권리입니다. 그걸 외면하는 것이 아니라 상과 기호를 동시에 수용할 수 있으면 엄청난 생각의 영토를 확장할 수 있다는 걸 기억하면 좋겠습니다.

책을 읽으려면 기꺼이 고독할 수 있어야 합니다. 대화하면서 혹은 다른 영상을 보면서 책을 읽을 수는 없습니다. 코로나19 팬데믹 때문에 어쩔 수 없이 집에 머무는 시간이 많아졌을 때 뜻밖에 사람들은 어쩔 줄 모르고 허둥댔습니다. 늘 누군가와 섞여서 혼자라는 고립감을 지우고 싶었기 때문에 정작 자신에게 자신의 시간을 할애하지 못했고 그게 습관이 되었기 때문입니다. 오히려 불가피하게 주어진 고독의 시간에 책을 읽는 일이 얼마나 매력적인지 경험하면 좋지 않을까요?

책을 읽는다는 건 나와 저자가 독점적으로 대화하는 행위입니다. 저자의 높은 지식과 깊은 성찰을 글자를 통해, 그것도 논리적이고 체계적으로 전달받거나 교환할 수 있다는 건 매력적인 일입니다. 당장은 손에 쥐는 게 없고 머리만 지끈지끈 하다고 외면하는 건 아쉽고 어리석은 일입니다. 책을 펴면 새로운 세상이 활짝 펼쳐집니다. 책은 다른 사람의 눈으로 세상을, 그리고 더 나아가 나의 삶을 바라보는 창(窓)입니다. 지식에 대한 책만 그런 건 아닙니다. 소설을 읽는 건 드라마를 시청하는 것과 다릅니다. 글을 읽으면서 인물과 상황을 머릿속에 그려내는 일은 상상력을 자극하고 그것들을 이어가고 구성한다는 점에서 논리적이고 체계적인 사유를 키울 수 있습니다. 게다가 엄청난 상상력과 다양한 표현을 통해 일상에서 놓쳤던, 작지만 어떤 경우에는 아주 커다란 울림을 주는 무수한 표현과 낱말들을 경험할 수 있습니다.

책은 평생을 함께 할 수 있는 좋은 도반(道伴)입니다. 이 좋은 친구를 만나 평생 함께한다는 건 고맙고 매력적인 일입니다. 섬세한 사유, 다양한 감각, 풍부한 감정을 길어 올려주는 책이 있어서 삶이 훨씬 더 풍요롭고 따뜻해집니다. 이제는 지하철 등에서 습관처럼 스마트폰에만 몰두하는 것보다 가끔은 책 읽는 모습을 볼 수 있으면 좋겠습니다. 짧은 시 한 편이 하루의 밀도를 다르게 만들 수도 있습니다.

인류 문명의 결정체는 바로 책입니다. 새로운 상의 시대에도 기호(글)의 힘과 매력은 사라지지 않습니다. 그 둘을 함께 누릴 수만 있어도 나의 오늘은 어제와 달라집니다. 나의 좋은 친구인 책을 당신도 친구로 맞아 그 즐거움과 행복을 누릴 수 있기를 소망합니다.

 햇살 한 컵

내 삶은 한 권의 책이다.
나는 그 책을 반복해서 읽으며
끊임없이 교정과 교열을 멈추지 않는다.
더 좋은 책이기 위해.

마음이 음악을 찾는 시간이 있습니다

●

　　'3밀(밀집, 밀접, 밀폐)'을 피해야 하는 일상, 그래서 함께 하는 것이 조심스러운 일상은 우리 삶의 여러 모습을 바꾸게 했습니다. '회의(回議)하다가 회의(懷疑)가 늘고 시간만 흐른다'라는 말을 할 만큼 넘치듯 많았던 회의(會議)의 모습이 많이 바뀌었습니다. 교장 선생님 훈화 같던 회의가 달라진 것은 반갑습니다. 굳이 한곳에 모이는 경우는 줄었고 회의 시간도 줄었습니다. 논의해야 할 것을 미리 살피고, 핵심을 찾아 논의하니 효율도 오르고 효과도 좋습니다. 하지만 특별한 준비 없이도 쌓인 내공으로 애드리브(ad lib)를 쏟아내며 회의를 주도하던 이들은 적응하기 힘든 시간입니다. '라떼는 말이야~'라는 무용담에 담긴 노하우를 전할 수 없으니 답답함과 안타까움이 클 겁니다.

　　동전에 양면이 있듯 변화에도 양면이 있습니다. 회의가 달라진 것처럼 반가운 것도 있지만 아쉬운 것도 많습니다. 소소하게 누리던 행복의 모습이 많이 바뀌었습니다. 스포츠 경기와 공연의 모습도 참 많이 달라졌습니다. 멈추고 사라졌다고 해도 될 만큼 공연과 경기가 많이 줄었습니다. 더욱더 아쉬운 것은 관객의 자리가 사라진 것입니다. 특별한 까닭이 없으면 진행하지 않던 '무관중 경기, 무관중 공연'이 익숙한 일상이 되었습니다. 랜선으로 연결되어 함께하지만, 경기장에서 함성을 지르며 함께하던 것을 대체할 수는 없습니다. 공연장에서 느끼던 감흥을 대체할 수는 없습니다.

이미 경험해 알고 있는 이들은 공연장의 소중함을 잊지 못합니다. 거의 모든 음악 프로그램에 등장하는 악기가 하나 있습니다. 바로 공연장, 콘서트홀입니다. 홀은 스스로 소리를 만들지는 못합니다. 하지만 소리를 반사해 모든 악기의 음을 확장하는 역할을 합니다. 그러면서 서로 다른 진동수들이 선택적으로 강화되거나 흡수됩니다. 홀이 있을 때와 없을 때 우리가 경험하는 공연은 전혀 다른 모습입니다. 스포츠 경기도 마찬가지입니다. 직관(직접 관람)을 대신할 것은 없습니다.

아쉬움은 아쉬움으로 둬도 되지만, 어려움은 함께 풀어야 할 삶의 숙제입니다. 줄어들고 사라진 무대 때문에 힘들어하는 이들이 적지 않습니다. 음악으로 사람들을 응원하고 격려하고 위로하던 이들이 응원과 격려, 위로를 받아야 할 때입니다. 우리에게 음악이 무엇일까요? 음악은 우리 삶에 어떤 의미가 있을까요? 삶과 음악에 관한 질문이 깊어지는 시간입니다.

지금 우리가 사는 현대사회에서 음악은 모든 장소에 존재하고 모든 사물에 깊이 스며들어 있습니다. 하루의 시작을 알리는 알람도 음악인 경우가 많습니다. 음악 소리에 잠을 깨고, 아침 식사를 하며 정신을 차리기 위해, 바쁜 출근길 버스와 지하철에서, 일하면서 힘든 것을 잊기 위해, 하루를 마무리하고 쉬며 음악을 듣습니다. 스마트폰은 스마트하게 온종일 나를 위한 음악을 플레이합니다. 온종일 음악을 듣는 것이 익숙한 우리는 좋은 음악을 듣는 것의 소중함을 잘 인식하지 못합니다. 예전에는 좋은 음악을 듣는 것이 매우 드문 일이었습니다. 중세시대의 농부들에게 음악이란 일을 하면서 부르는 노동요와 집에서 부르는 자장가가 전부였습니다.

현대인들은 자기가 원하지 않더라도 많은 음악을 듣습니다. TV를 한 시간만 봐도 웃기거나 울리거나 소비를 부추기기 위해 연출된 음악을 계속 듣습니다. 일터에서도 음악이 사용됩니다. 공장 근로자들의 생산성을 높이거나 닭이 더 많은 달걀을 낳게 하기 위해서, 젖소의 우유 생산을 늘리기 위해 음악이 사용되어 왔습니다. 병을 치료하거나 최면을 걸거나 고통을 가라앉히거나 기억을 도와주기 위해 음악이 사용되기도 합니다. 우리는 음악을 들으며 춤을 추고, 음악을 들으며 물건을 사고, 음악을 들으며 청소하고, 음악을 들으며 운동하고, 음악을 들으며 이야기하고, 음악을 들으며 사랑을 나눕니다. 기본 배경처럼 들려오는 음악을 모두 '무음 처리(mute)'한다면, 견디기 힘든 지루함이 우리 일상을 대표하는 특징이 될 것입니다.

　음악은 다른 소리와는 분명하게 구분되는 특별한 소리입니다. 사람들은 음악을 듣고 눈물을 흘리고 슬픔을 공유하면서 감정적 연대감을 느낍니다. 이런 보편적 감수성의 체험은 사회적 연대감으로 이어집니다. 혼자가 아니라는 것, 함께 울어 줄 누군가가 있다는 것은 그 자체만으로도 많은 위로와 위안이 됩니다. 마음이 음악을 찾는 시간이 있습니다. 저마다 마음속 음악 목록이 있습니다. 힘들 때면 찾는 음악이 있고, 위로받고 싶을 때 찾아 듣는 음악이 있습니다. 무언가 생각을 정리하고 싶을 때 찾아 듣는 음악이 있고, 모든 것을 멈추고 쉬고 싶을 때 찾아 듣는 음악이 있습니다. 나에게는 김광석의 노래와 바흐의 음악이 그렇습니다.

　고통의 순간을 만나면 우리는 위안물을 찾습니다. 삶의 위안물이 특정한 형태로 고정된 것은 아니지만, 음악은 그 특성상 많은 사람의 위안물이 됩니다. 특히 '대중가요'라 불리는 일상에서 가장 자주 만나는 음악은 대중과 가장 가깝게 상호작용하는 음악입니다. 이처럼 시대의 정서를 담아내는 대중가요는 우리의 삶과 마음을 위로합니다. 그 시대를 넘어 오랜 시간 동안 계속해서 사랑받는 음악도 있습니다. 대중가요의 생명력이 짧다고 하지만, 계속해서 대중의 마음을 위로하고, 리메이크되어서 다시금 대중의 공감을 끌어내고 인기를 얻는 음악도 있습니다.

　훌륭한 음악은 마술 같은 면이 있습니다. 그것이 가진 힘 자체 때문에도 그렇고, 우리 마음이 그 많은 음악 가운데서 그것을 찾아내기 때문에도 그렇습니다. 매년 수천 개의 새로운 음악이 소개되지만, 그중 몇 개만이 우리의 마음을 끕니다. 정말로 좋은 노래, 깊이 빠져들어 잠시도 놓고 싶지 않은 그런 노래를 만나면, 우리는 그것을 몇 번이고 반복해 들으며 즐깁니다. 마음이 기억하는 음악이 됩니다.

마음이 기억하는 음악이 있다는 것은 참 행복한 일입니다. 마음이 음악을 찾는데도 찾아 들을 음악이 없다면, 상상하는 것만으로도 답답합니다. 나의 마음이 찾는 음악 리스트를 정리하면서 오랫동안 함께했던 소중한 음악들에 대해 고마움을 전하고, 새롭게 함께할 음악들에 대해 기대를 전해야겠습니다. 그리고 소중한 음악을 만들어 준 이들에게 특별한 감사를 전합니다. 공연은 줄어들고 사라졌지만 음악은 더욱더 소중해진 일상, 음악을 만들며 살아온 그리고 살아갈 이들이 참으로 소중합니다. "고맙습니다. 덕분에 힘든 시기를 견디며 살아갑니다. 힘내세요. 응원합니다."

오늘은, 베트남 스타일 커피를 마셔야겠습니다. 마음이 음악을 찾는 날에는 부드럽고 달콤한 연유를 만난 찐한 커피, 베트남 스타일 커피와 함께 찐하고 달콤하게 하루를 마십니다.

🦋 바람 한 모금

삶을 담은 음악, 음악에 담긴 삶.
그 속에 자리 잡은 우리와 만나야 한다.
시대의 음악과 함께 하라.
그래야 시대와 함께 걸어가는 우리가 된다.

베트남에서는 커피를 우려낼 때 필터가 아닌, 카페 핀(cafe fin)이라 불리는 미세한 구멍이 난 용기를 사용한다. 카페 핀에 원두를 첨가해 뜨거운 물을 부어 천천히 우려내기에 커피 맛이 깊고 진하고 쓴맛이 강해진다. 마치 에스프레소 기계를 통과한 커피를 필요에 따라 뜨거운 물이나 얼음을 넣어 마시는 것처럼, 카페 핀에서 추출한 커피도 취향에 따라 뜨겁게 혹은 차갑게 마신다. 깊고 진하고 쓴맛이 강한 커피는 단맛이 강한 연유를 만났을 때 가장 멋진 맛을 낸다.

언어의 인격, 인격의 언어

●

낱말 하나하나 곱씹어 볼 때마다 살갑고 따뜻하며 품격을 느끼게 하는 것들이 있습니다. '사랑', '배려', '공존', '화목' 등의 명사뿐 아니라 '살갑게', '애틋한', '시나브로' 같은 관형사와 부사도 들을 때마다 기분이 좋습니다. 단순히 기분이 좋은 것에 그치지 않고 오랫동안 내 안에 머물며 잔잔하게 여운을 남기며 그 뜻을 새기고 그런 낱말들이 담고 있는 삶을 닮고 싶어집니다. 말의 힘이란 결코 가벼운 게 아닙니다.

늘 뜻이 웅숭깊거나 살갑고 애틋한 말들만 하고 살 수는 없습니다. 도저히 참을 수 없이 화가 치밀면 거칠고 험한 말도 쏟아냅니다. 그런 말들이라고 무조건 다 나쁜 건 아닙니다. 마음속에 억지로 눌러 담아두면 오히려 건강을 해칠 수도 있습니다. 그런 걸 밖으로 해소하는 데에 욕설이나 거친 말이 어느 정도의 역할을 하는 것도 사실입니다. 속에서 울화가 치미는데 욕도 하지 못하는 게 습관이 된 저는 가끔 아무도 없는 곳에서 실컷 욕을 쏟아내고 싶은 생각이 들 때가 있습니다. 다만 과유불급을 망각하지는 말아야 합니다.

거친 말을 들으면 마음이 불편합니다. 무례한 말을 들으면 기분이 나빠집니다. 요즘은 거칠고 무례한 말들을 너무 쉽게 내뱉습니다. 갈수록 말이 짧아지고 거칠어집니다. 아이들까지 욕을 입에 달고 살기도 하지만, 이제는 그런 아이를 불러 꾸짖거나 가르치지도 않습니다. 요즘의 줄임말, 이른바 '급식체'에는 어른들은 쉽게 눈치 채지 못하지만 욕설이 섞인 말들도 적지 않습니다. 아이들 탓만 할 게 아닙니다. 어른들의 언어는 더 거칠고 험합니다. 신문에서도 무서운 낱말들이 쏟아집니다. 심지어 스포츠 지면에서도 '괴멸'이니 '폭격'이니 따위의, 전쟁에서나 쓸 낱말들이 거리낌 없이 나열됩니다. 말뜻 하나하나 제대로 새기며 읽으면 섬뜩하기까지 합니다.

인간에게 언어는 아주 중요한 자산입니다. 인류학과 언어학에서는 언어가 인간의 직립에서 얻어진 것이라고도 합니다. 직립하면서 두 손의 안정성과 빠른 이동성을 확보했을 뿐만 아니라, 무엇보다 직립으로 기도(氣道)가 확장되면서 소리의 다양성을 얻게 되었고, 확장된 성대가 다양한 소리를 만들어내게 되면서 여러 의미를 담는 소리의 약속을 이루어낸 것입니다. 언어는 뜻과 느낌을 주고받을 수 있다는 점에서 인간에게 혁명적인 변화를 끌어냈고, 그 힘을 바탕으로 지상에서 다른 동물들에 비해 월등한 우월성을 확보할 수 있었습니다. 그러나 단순히 그 우월성에 그치는 것이라면 언어의 힘을 너무 가볍게 본 것입니다.

"사랑한 당신! 새벽종이 웁니다. 저 종소리도 얼마나 슬픈 인간의 슬픔에서 그대로 구겨져 멸(滅)하지 않으려는 애달픈 노력인지 모릅니다. 그러나 아무리 이렇게 타일러 보건마는 그리움은 그대로 남는 것입니다."

시인 청마(靑馬) 유치환(柳致環, 1908~1967)이 시조 시인 정운(丁芸) 이영도(李永道, 1916~1976)에게 보낸 편지(나중에 《사랑했으므로 행복하였네라》라는 책으로 묶여 출간됨)의 한 구절입니다. 낱말하나하나 짚어보면 특별할 것도 없는 문장입니다. 그러나 그 낱말에는 시인의 그리움과 사랑이 아프게 박혀있습니다. 이루어질 수 없는 사랑이라 해도 그 언어에는 새벽종이 울어서 깬 것이 아니라 새벽종이 울 때까지 편지를 쓰면서 그리워하는 애틋함이 가득합니다. 그 글을 읽는 사람이 그 감정을 공유하면 이짧은 문장 몇 개 앞에서 꼼짝도 못하고 가슴이 저미는 듯 느낍니다. 이걸 어떤 영상으로 표현할 수 있을까요?

"그대가 들꽃 냄새나는 편지를 보내왔으나 편지 봉투 속으로 활자를 쓸어 올리며 밀물이 차올랐다. 오직 사랑만으로 사랑이 완성될 수 있으면 좋겠다고 갈맷빛 잉크를 찍어 그대에게 답장을 썼다. 부질없는 소망을 적는 동안 물결의 톱날에 썰리는 바다의 단단한 목질에서 편백나무 냄새가 피어올랐다. 갈매기가 물고 날아 가버린 편지 속에는 파도에 쓸려 해변으로 밀려간 해초냄새가 밀봉돼 있을 것이다."

림태주의 산문집 《그토록 붉은 사랑》 중 〈설령〉이라는 제목의 글 가운데 한 구절입니다. 같은 편지의 형식이고 애틋함도 동일하지만 그 농도와 느낌은 사뭇 다릅니다. 여러 낱말이 엮이고 짜여서 빚어내는 문장에는 아름다움뿐 아니라 거기에 담뿍 담긴 감정과 생각이 짙게 배어있습니다.

언어에도 인격과 품격이 있습니다. 그런 언어를 만들어내기까지 인간이 쏟은 노력은 결코 작지 않습니다. 그냥 얻어진 언어들이 아닙니다. 낱말을 다듬고 뜻을 포개서 조금씩 진화한 결실입니다. 감각과 감정을 드러내는 낱말들도, 어느 하나 사소하지 않게, 하나씩 생겨나고 진화한 것들이 지금 우리가 쓰는 언어들이 되었습니다. 그러니 모든 언어는 그 자체로 인간의 귀중한 자산입니다. 그런데 그 가치를 스스로 깎아내는 거칠고 고약한 낱말들이 더 빈번히 사용된다는 건 안타까운 일입니다. 언어에는 그 나름의 인격이 있습니다. 그리고 그 언어를 사용하는 사람의 인격이 그런 언어의 품격을 길러냅니다. 말과 사람이 따로 놀지 않습니다.

흔히 첫인상이 중요하다고 합니다. 부인할 수 없는 일입니다. 그러나 그 인상이라는 게 외모에만 달린 것은 아닙니다. 그 사람에게서 풍기는 품격과 태도에서 오는 것이 상당 부분을 차지합니다. 그리고 그것은 그의 언어에서 오는 것 또한 부인하기 어렵습니다. 어떤 사람이건 그 사람과 5분쯤 이야기를 나눠보면 대강 그의 성품, 지성, 감성 등을 짐작할 수 있습니다. 어휘 하나에서도 그것을 느낄 때가 있습니다. 미사여구나 유창한 말솜씨가 아니라 그가 내뱉는 문장의 격조와 낱말들의 배열과 진정성이 주는 인상입니다.

공자는 군자의 특징 가운데 하나를 눌언민행(訥言敏行), 즉 말은 더듬거리며 굼떠도 실제 행동은 능란하고 재빠른 것을 꼽았습니다. 《논어》〈이인(里仁)〉편에 나오는 말입니다. 눌언은 단순히 말을 더듬고 굼뜨다는 게 아닙니다. 왜 군자는 청산유수로 상대를 휘어잡지 못할까요? 그는 자신의 말에 책임을 져야 함을 알기 때문입니다. 그 말이 지닌 겉뜻뿐 아니라 속뜻까지 전적으로 따지고 가려내야 하니 생각보다 말이 먼저 나서지 못합니다. 그러므로 눌언은 숙고와 책임감의 다른 표현이고 품격과 인성을 표상하는 말이라는 의미입니다. 교언영색(巧言令色)의, 그러니까 남의 환심을 사기 위해 교묘하게 꾸며낸 말과 아첨하는 낯빛이 아니라 행동의 실천을 강조한 말이지만 눌언이라는 말이 단순히 그것만을 강조하기 위해 앞에 놓인 건 아닙니다. 안으로 새기고 입으로 여러 번 곱씹어 책임질 수 있는 말을 하라는 뜻입니다.

문장과 낱말을 천천히 음미하고 새기며 가슴에 담고 품으며 다독이기에 가장 좋은 방법은 시를 읽는 것이 아닐까 싶습니다. 모국어의 가장 좋은 글밭이 바로 시입니다. 산문과 달리 길지도 않으니 빨리 읽을 까닭도 없고 모든 낱말이 제가끔 뜻과 느낌을 완벽하게 담고 있기에 자연스럽게 성찰하며 읽습니다. 일상에서 시어(詩語)를 쓸 일이 별로 없겠지만, 그 낱말들이 내 안에서 움트고 자라며 나의 생각과 느낌을 길러냅니다. 시를 사랑하는 시대가 가장 성숙하고 아름다운 문화를 만들어내는 건 결코 우연이 아닙니다. 시인을 존중하고 사랑하는 사회와 국가가 정말 멋지고 강한 나라입니다. 그것이 국격이기도 합니다. 언어에 품격이 있는 건 사람에게 나름의 인격이 있는 것과 크게 다르지 않습니다.

날마다 내 입에서 나가는 말, 내 눈으로 읽고 귀로 듣는 말이 엄청나게 많습니다. 인격과 품위를 담고 있는 언어를 잘 가려내고 그것을 말하고 행하는 것만으로도 내 삶이 한껏 성숙해집니다. 말의 힘은 결코 가볍지 않습니다. 책임을 질 수 있으며 상대에게도 도움이 되는 말만 가려 쓰면 삶이 훨씬 더 도타워집니다. 그러니 어찌 그걸 외면할 수 있겠습니까.

 생상 한 컵

언어의 품격만 제대로 갖춰도
그 사람의 품격이
절반은 채워진다.

보는 것과 읽는 것은 같지 않습니다

●

　　몇 해 전 라디오 프로그램에 출연해 책 읽기에 관해 이야기를 나눈 적이 있습니다. 책 읽기와 관련해 여러 질문을 받았습니다. 많은 책을 읽는 비법이 무엇인지, 읽은 책은 어떻게 기억하는지, 한 권의 책을 읽는 데 시간은 얼마나 걸리는지, 읽을 책을 선정하는 기준은 무엇인지, 어떤 책을 좋은 책이라고 생각하는지 등등.

　　질문 중에는 '속독'에 관한 것도 있었습니다. 속독하느냐, 자신만의 속독 비결이 있느냐, 속독에 관해 어떻게 생각하느냐 등등. 간단히 대답했습니다. '속독하지 않는다. 그래서 속독 비결이 없다. 속독에 관해 특별히 생각해 본 적이 없다. 읽기는 속도보다 정확성이 중요하다'라고 말입니다.

　　'속독(법)'이 유행했던 적이 있습니다. 한 권의 책을 빨리 읽는 비법, 짧은 시간에 많은 책을 읽는 비법을 가르치는 속독(법) 강사, 속독(법) 학원이 인기가 있었던 적이 있습니다. 요즘도 '속독'의 미덕을 이야기하는 이들이 있습니다. 느림의 미학이 가장 강하게 적용되어야 하는 책 읽기에 속도가 강조되었던 까닭이 무엇일까요?

책을 읽음이 다른 무엇을 이루기 위한 도구나 수단이 되면 당연히 효용이나 효율이 강조됩니다. 그러면 속독은 미덕이자 기술이 됩니다. 책을 읽되 읽는 과정에 들이는 시간과 에너지는 줄이고 최대의 성과를 얻어내는 것이 목표가 됩니다. 이렇게 되면 '읽기'라고 하지만 읽는 것이 아니라 보는 것이라 해야 합니다. 물론 그저 보는 것은 아닙니다. 얻어야 할 것을 얻기 위해 애써 보는 탐색의 행위이고 과정입니다.

읽는 것과 보는 것을 구분하는 것에 대해 반문할 수 있습니다. 보는 것과 읽는 것이 비슷해도 다른 것이기에 구분할 수밖에 없습니다. 보는 것이 물리적인 것을 시각적으로 인지하는 것이라면, 읽는 것은 의미를 사고 과정을 통해 찾아내어 이해하는 것입니다.

영어를 몰라도 영어로 쓰인 책을 볼 수 있고, 프랑스어를 몰라도 프랑스어로 쓰인 책을 볼 수 있습니다. 어떤 특징이 있는지 살필 수 있습니다. 아주 세밀하게 다른 책과 어떤 차이가 있는지 분석할 수도 있습니다. 하지만 읽지는 못합니다.

읽기 위해 보는 것이 필요하지만, 본다고 해서 읽는 것은 아닙니다. 보는 것과 달리 읽는 것은 배우고 익혀야 합니다. 특별한 단어를 찾아내어 주목하는 것은 보는 것만으로도 가능합니다. 그러나 그 단어의 의미를 이해하려면 그 단어가 자리한 문장을 이해해야 하고, 그 문장을 품은 문단을 이해해야 합니다. 결국에는 단어와 문장, 문단으로 이루어진 글을 이해해야 제대로 이해할 수 있습니다.

더 나아가 그 글이 만들어지고 읽히는 맥락을 이해해야 온전한 이해에 이르게 됩니다. 이렇듯 읽는 것은 보는 것을 통해 이루어지지만, 보는 것에 머물지 않습니다. 제대로 알고 이해하려면 보기만 해서는 안 되고 읽어야 합니다.

같은 말도 문맥에 따라 뜻이 다릅니다. 글자가 놓인 자리와 앞뒤의 행간에 따라 의미가 달라집니다. 책 읽기에 사색이 필요한 까닭이 여기에 있습니다. 같은 말인데 다릅니다. 그 다름이 무엇인지 찾는 것, 앞에서는 저렇게 말하고, 여기서는 왜 이렇게 말하는지, 같은지 다른지, 같다면 무엇이 같고, 다르다면 무엇이 다른지 따져 보는 것이 읽는 것입니다. 그러니 속도를 줄이고 천천히 살펴야 합니다.

2000년을 몇 달 앞둔 1999년 9월에 《그림 읽어주는 여자》라는 책이 출간되었습니다. 출간되자마자 주목을 받고 오랫동안 베스트셀러 자리를 지켰습니다. 출간된 지 20년이 되었지만, 지금도 여전히 많이 읽히는 책입니다. 그림 보는 것을 좋아해서 이 책이 출간되었을 때 참 반가웠습니다. 삶의 스트레스가 무겁게 쌓이면 훌쩍 일상에서 벗어나 그림을 만나러 갔습니다. 마음에

다가오는 그림을 만나면 멈추어 서서 긴 시간을 마주했습니다. 조용히 대화를 나누듯 그림을 보고 있으면 슬며시 전해오는 기운에 힘을 얻었습니다. 그렇게 그림을 보는 것을 좋아했지만, 그림을 읽지는 않았습니다. 그림도 담고 있는 메시지가 있음을 알고 있었지만, 읽으려고 애쓰지 않았습니다. 스쳐 지나가며 보는 그림이 많았고, 마음에 다가오면 오래 보았을 뿐 읽지는 않았습니다.

그림을 보는 사람이었지 그림을 읽는 사람은 아니었습니다. 그럼에도 그림(들)에 대해 나름의 판단을 했습니다. '저 그림 참 좋다', '저 그림은 뭐야'라고 말입니다. 보아도 스쳐 지나가면 읽을 수 없습니다. 머물러 오래 보아도 읽을 수 없습니다. 제대로 읽는 것은 그저 되는 일이 아닙니다. 책을 읽는 것도 그렇고, 그림을 읽는 것도 그렇습니다.

책이나 그림은 조금 잘못 읽는다고 해도 크게 문제가 되지는 않습니다. 잘못을 발견했을 때 다시 고쳐 읽으면 됩니다. 그런데 사람을 잘못 읽고, 시대를 잘못 읽으면서 제대로 읽었다고 생각하면 그때는 큰 문제가 일어납니다. '척 보면 안다'라는 말이 있습니다. '한눈에 알아본다'라는 말도 있습니다. 굉장히 위험한 말들입니다. 척 보면 알 수 있는, 한눈에 알아볼 수 있는 것에 대해서만 유효한 말입니다. 사람과 시대를 척 보면 알고, 한눈에 알아볼 수 있다고 생각해서는 안 됩니다. 그런 눈을 가진 사람은 없습니다. 우리의 눈은 자신도 제대로 읽지 못합니다. 낯선 자신을 발견할 때면 어색해하고 부정하고 놀라기도 합니다. 그럼에도 우리는 타인을 한눈에 읽을 수 있다고 생각합니다. 한 사람을 읽는 것도 이러한데 시대를 한눈에 읽을 수 있다고 생각합니다.

진짜 같은 가짜가 너무도 많은 세상입니다. 진짜보다 더 진짜 같은 가짜가 존재하는 세상입니다. 이런 세태를 반영한 예능 프로그램이 등장했습니다. "가짜는 오직 하나! 여섯 명의 출연진이 진짜 속에 숨어 있는 진짜보다 더 진짜 같은 가짜를 찾는 예측 불허 육감 현혹 버라이어티"라는 수식어가 붙은 '식스 센스'라는 프로그램은 제작팀이 만들어낸 가짜를 진짜 사이에 두고 찾아내게 합니다. "가짜 뉴스를 감별할 능력, 당신은 있습니까?"라는 수식어가 붙은 '투 페이스'라는 프로그램은 가짜 뉴스 감별사로 변신한 연예인/셀럽들이 진짜 뉴스와 가짜 뉴스를 찾아내는 퀴즈쇼입니다. 두 프로그램 모두 참여한 출연진은 자신감 넘치게 도전하지만, 결과는 그렇지 않습니다. 예능 프로그램이니 과정이나 결과가 이래도 괜찮습니다. 하지만 실제 삶은 이래서는 안 됩니다.

많은 이들이 인터넷과 SNS의 출현으로 과거보다 더 많은 글을 읽고 있다고 생각합니다. 하지만 실험과 연구를 통해서 밝혀졌지만, 실제로는 제대로 읽지 않습니다. 많은 것을 보고 오래 보면서도 제대로 읽지 못합니다. 글이 길고 복잡하고 내용이 함축적이면 더욱더 그렇습니다. 글도 이러한데 사람과 세상에 대해서는 더 말할 것이 없습니다. 척 보면 안다는 생각, 한눈에 알아볼 수 있다는 생각부터 털어내야 합니다. 차분히 읽어도 무슨 말인지 모르면 억지로 읽지 말고 잠깐 내려놓아야 합니다. 모르면서 붙들고 있으면 역효과가 납니다.

　빨리 읽는 속독가나 많이 읽는 독서광이 되려 하기보다는 조금씩 끊어서 읽고 또 읽고, 완전히 이해해서 다시 더 읽어야 합니다. 활자 적힌 종이를 눈으로 한 차례 지나갔다 해서 읽었다고 할 수 없습니다. 책을 읽기도 이러한데 사람과 시대를 읽는 것은 더욱더 그래야 합니다. 편견에 빠지지 않고 가짜뉴스에 속지 않으려면, 잘못된 평가를 하지 않고 허튼소리를 하지 않으려면 제대로 읽어야 합니다. 트랙 아닌 도로에서 정지 신호가 끝날 때를 기다렸다가 경주용 자동차처럼 달려 나가는 차들이 있습니다. 속도를 뽐낼 뿐 이치에 맞지 않는 일입니다. 우리 삶도 이럴 수 있습니다. 제대로 읽기 위해 멈추고, 상황에 맞는 속도로 움직여야 합니다.

　오늘은 대학로의 추억을 떠올립니다. 학림 다방에서 아메리카노 위에 하얀 휘핑크림을 듬뿍 얹은 비엔나커피와 함께 급하지 않게 천천히 하루를 마십니다.

빨리 보는 것이 중요하지 않다.

자세히 읽는 것이 중요하다.

사람이든 사물이든 사건이든 모두가 그렇다.

옳게 관계 맺고

옳게 살아가려면

옳게 읽는 것이 먼저다.

비엔나커피, 얼핏 보기에는 최근에 만들어진 트랜디한 커피 같은데 300년이 넘는 긴 역사를 지닌 커피다. 마차에서 내리기 힘들었던 옛 마부들이 한 손으로는 고삐를 잡고, 한 손으로는 설탕과 생크림을 듬뿍 얹은 커피를 마신 것이 시초가 되었다. 차가운 생크림의 부드러움과 뜨거운 커피의 쌉싸래함, 시간이 지날수록 차츰 진해지는 단맛이 한데 어우러져 한 잔의 커피에서 세 가지 이상의 맛을 즐길 수 있다. 여러 맛을 충분히 즐기기 위해 크림을 스푼으로 젓지 않아야 한다. 오래되었지만 트랜디한 커피다.

언어 만지기

우리는 무수히 많은 언어를 사용하면서 살아갑니다.
하루에 얼마나 많은 말을 할까요? 얼마나 많은 말을 들을까요?
그리고 얼마나 많은 글을 읽거나 쓸까요? 아무 말도 글도 사용
하지 않고 넘어가는 날은 없을 겁니다. 묵언수행(默言修行)이라
해도 속으로는 언어를 통해 궁극의 도를 추구합니다. 모든 감각
과 감정조차 언어라는 고리로 입력되고 출력됩니다.

흔히 언어는 말하고 읽고 쓰는 것이라고만 생각합니다. 틀린
말은 아닙니다. 언어는 그렇게 사용됩니다. 그런데 나는 하루에
도 몇 차례 언어를 '만져' 봅니다. 눈에 보이지도 않고 형체도 없
으며 아무런 질료도 없는 언어를 만진다는 게 어불성설이겠지
요. 그러나 언어는 손으로 만지는 게 아니라 마음의 눈으로 만져
보는 겁니다. '언어 만지기'만 제대로 해도 성찰과 사유는 자연
스럽게 이루어집니다.

낱말을 만져보면 이해력과 공감 능력, 그리고 상상력이 크게 향상됩니다. 낱말을 '배운다'는 건 글자라는 기호의 조합과 그것이 지칭하는 대상과의 관계를 연관되게 유지할 수 있는 방식을 익히는 과정입니다. 예를 들어 '소나무'라고 하면 그 문자적 기호가 지칭하는 대상을 즉각적으로 머릿속에 그림으로 떠올려봅니다. 그러나 '너도밤나무'의 경우는 어떨까요? 말로는 들어봤거나 글로는 읽어봤어도 정작 익숙하지 않은 나무입니다. 그러니 어쩌다 만나게 되어도 그냥 스쳐 지나갑니다. 그러면 너도밤나무는 '그냥 나무'에 불과해집니다. 아니, 어쩌면 그저 하나의 '기호'에 불과할 뿐일 겁니다. 그러나 식물도감에서 너도밤나무를 한 번이라도 찾아보면 그 나무가 내 안에 들어옵니다. 그건 바로 내가 너도밤나무라는 낱말을 만져보는 일입니다.

'이름'을 안다는 건 단순히 문자적 기호와 대상의 일치만을 뜻하는 것은 아닙니다. 그것은 관계를 맺는 일입니다. 그러므로 관계의 주체와 대상을 내가 감각할 수 있을 때 제대로 의미가 정립됩니다. 한국인들이 가장 사랑한다는, 김춘수(金春洙, 1922~2004)의 시 〈꽃〉에서 '내가 그의 이름을 불러 주었을 때/그는 나에게로 와서/꽃이 되었다'라는 구절은 실존과 관계의 본질을 상징적으로 보여줍니다. 주체인 내가 관계 속에서 그것을 감각하지 못하면 그건 단지 기호로서만 저장될 뿐이고 그 기호는 단순한 정보 체계의 구성 요소는 될지 몰라도 내 안에서 관계의 작용을 일으키지 않습니다. 삶에서의 행위로 나타나는 건 그 관계 안에서 일어납니다. 그러므로 어떻게 낱말을 만지느냐

하는 건 결코 가벼운 게 아닙니다. '너도밤나무'가 그저 문자적 기호에 불과한 경우가 많은 것처럼 말입니다.

공간을 만지는 건 또 다른 맛입니다. '해미'라는 곳이 있습니다. 서해안고속도로를 타고 내려가다 서산을 지나면 곧바로 해미에 닿을 수 있습니다. '해미'라는 '낱말'은 아무런 의미 없는 완벽한 '기호'에 불과합니다. '해미'라는 기호는 내게 아무런 의미도 주지 않습니다. 그러나 지도를 펼쳐보기만 해도 기호 이상으로 다가옵니다. 비로소 내가 해미를 '만져'보는 겁니다. 기회가 닿아 그곳을 방문하면 그 만져봄은 훨씬 더 농밀해집니다. 읍성도 보고 근처를 걸으며 '만져본' 해미는 기호로만 알던 해미와는 전혀 달라집니다. 해미라는 '이름' 안에 사는 사람들까지 느껴집니다. 우리가 어떤 낱말을 '만진다'라는 건 '손을 대어 여기저기 주무르거나 쥐다'라는 사전적 정의처럼 그 대상과 '직접적인' 관계를 형성하는 것을 뜻합니다.

지도는 공간을 만져보는 그림이고, 생물도감은 동식물들을 만져보는 그림입니다. 그 그림과 기호의 간격을 좁히게 하는 것이 바로 낱말을 '만지는' 행위의 한 가지 방식입니다. 그렇게 만지는 힘은 단순히 지명이나 생물에 그치는 게 아니라 개념과 관념 그리고 느낌까지 바꾸거나 확대합니다. 그리고 언젠가는 그것이 엄청난 힘을 발휘할 때도 오겠지요.

언어를 만지는 건 손이 아니라 '머리와 가슴'입니다. 가벼운 관형사나 부사 하나도 단순히 사전적 의미 혹은 기호의 함의로 소비하는 것이 아니라 그 말이 지닌 독특하고 다양한 느낌과 감각을 불러내 음미해봅니다. 그렇게 불러내 만져보면 내가 일상에서 소비하는 언어에 대한 느낌과 태도가 이전과 같을 수 없습니다. 우리는 다양한 감각뿐 아니라 여러 감정을 갖고 있습니다. 그리고 그런 것들을 지칭하는 낱말들이 있습니다. '빨갛다' 또는 'red'라는 낱말이 담고 있는 감각은 일정합니다. 그러나 그 말이 사용되는 상황과 맥락에 따라 느낌과 뜻, 그리고 감정이 매우 다양하게 갈라집니다. 그 갈라짐을 만져보는 것은 언어의 다양성뿐 아니라 내 감각과 감정의 다양성을 확장하게 됩니다.

이번에는 다시 명사를 만져볼까요? '카메라'의 경우를 예로 들어보지요. 그 낱말을 만지는 방식은 사람에 따라 달라집니다. 어떤 사람은 피사체를 '정지된 화면'에 담아두는 물체로 '만집니다.' 그러나 요즘 카메라는 동영상까지 담아낼 수 있으니 정지된 화면으로만 만지는 건 최신의 카메라를 만지는 게 아닐 수 있습니다. 어쨌거나 대부분은 카메라의 역할과 기능으로 만집니다. 그러나 조금 더 만져보면 달라집니다. 뷰파인더에 눈을 대보면 그냥 눈으로 보는 것과 카메라 앵글을 통해 바라보는 게 어떻게 다른지 '만져볼' 수 있습니다. 카메라의 '가격'도 만져봅니다. 그것은 '경제적으로' 만져보는 일입니다. 자신이 그것을 소유하지 않은 사람은 '부러움이나 바람'으로 만져봅니다. 또 어떤 이는 카메라가 담아낸 풍경과 사물을 연상하며 만져봅니다. 이렇게 하나의 사물을 만져보는 방식은 다양합니다. 이쯤 되면 단순히 하나의 사물이 아니라 내가 만져보는 방식에 따라 다르게 내 안에 들어오는 것을 경험합니다. 하물며 다른 사람의 이름을 만져보는 건 말할 것도 없습니다. '사랑'이라는 언어를 만지는 건 더 그렇습니다. 그렇게 만지는 그 낱말은 때로는 '목숨'을 만지는 것과 동일하거나 심지어 그보다 더 진하게 만져지기도 합니다.

이런 방식으로 낱말들을 만져보면서 나의 하루를 만져봅니다. 매 순간 농밀하게 사는 것이 능사는 아닙니다. 숨 막힐 일이지요. 그러나 가끔은 멈춰서 내 하루의 시간을 만져보는 것만으로도 하루의 밀도가 달라집니다. 하루에도 무수하게 사용하는 언어들을 몇 개씩만 골라 만져보는 것 자체가 하나의 놀이일 수도 있습니다. 그러나 단순히 놀이에 그치는 게 아니라 나와 관계를 맺는 것들과의 영토를 확장하고 밀도를 높일 수 있다는 점만으로도 꽤 유용한 일입니다.

잠시 낱말 하나를 꺼내 만져봅니다. 오늘은 어떤 말을 만져볼까요? '솔개'를 만져볼까요? 날카로운 부리, 강인한 발톱, 매서운 눈, 그리고 매혹적인 날개 등을 하나하나 만져보는 것만으로도 흥분됩니다. 그리고 창공을 나는 우아한 매의 비행을 만져보고 그 등에 올라타 하늘에서 내려다보는 지상의 모습을 만져봅니다. 자연스럽게 '비상(飛翔)'이라는 낱말을 만져봅니다. 거기에서 '기대'와 '설레는 두려움'을 만져봅니다. 이렇게 가끔 언어를 만져보는 것만으로도 일상의 타성에서 잠시 벗어날 수 있습니다. 그리고 자연스럽게 언어의 힘을 깨닫습니다. 만지는 언어의

수가 늘어남에 따라 내가 삶과 세상에 대해 갖는 이해와 태도도
달라집니다. 오늘, 당신은 어떤 낱말을 만져보시렵니까?

 햇살 한 컵

내가 만져볼 수 있는 언어가
나의 생각과 느낌의 바탕이다.
그래야 내 삶을 만져볼 수 있다.
그리고 너를 만져볼 수 있다.

함께 걷고 싶은 사람이
있다는 것은

홀로 자신만의 리듬으로 걷는 것의 즐거움을 아는 사람은 자
주 그 즐거움을 경험하려 합니다. 분주한 일상에 쫓기면 잃어버
리기 쉬운 즐거움이지만 놓치지 않으려 합니다. 때로 느리게, 때
로 빠르게 걸으며 자신을 만납니다. 자칫 덧없이 흘러가는 일상
속에서 소모되고 잃어버릴 수 있는 자신과 대면하면서 자신을
살핍니다. 의미 없이 반복되는 일상에 갇힌 내가 아니라 매일 새
로운 오늘 속에 있는 나를 만납니다. 어제와 달라진 나를, 오늘
과 달라져야 할 나를 살피며 걷습니다. 이런 걸음을 즐기는 사람
은, 상황보다는 자신과 자신처럼 소중히 여기는 가치와 목표를
따라 살아갑니다.

이렇게 자신과 삶을 위한 성찰의 걸음을 걷는 이들이 더 많아졌으면 하는 마음으로 이 책을 쓰게 되었습니다. 자기만의 리듬을 찾아 그 리듬을 따라 걷는 이들을 위해 쓰는 글이지만, 자칫 '나'라는 리듬에 갇힌 글이 되어서는 안 되기에, 홀로 글을 쓰기보다는 함께 글을 쓰기로 했습니다. 김경집 선생님이란 멋진 길벗이 계셔서 글을 쓰는 과정이 내내 행복했습니다. 흔히 글을 쓰는 과정을 출산에 비유하곤 합니다. 그만큼 고된 작업이라서 그렇습니다. 이 책을 쓰는 과정 역시 그랬습니다. 글을 쓰는 작업은 익숙해지는 것만큼 더 고된 작업입니다. 하지만 이번 책을 쓰는 과정은 함께하는 길벗이 있어 외롭지 않고 행복했습니다. 함께 걷고 싶은 이와 걷는 것이 주는 유익은 참으로 놀랍습니다. 홀로 걸을 때 경험할 수 없는 것을 경험할 뿐 아니라 걷는 것의 참된 의미를 더 깊이 발견합니다.

인문학의 미덕이 무엇인지 삶과 메시지를 통해 명확히 보여오신 김경집 선생님과의 만남은 저에게는 거친 일상 속에서 만나는 '오아시스'입니다. 마음과 생각에 쌓인 먼지들을 털어내고 새로운 기운을 충전하는 시간입니다. 때로 한 잔의 차를 비워내는 길지 않은 시간이어도 말로 표현하기 힘든 풍성한 자극을 받는 시간입니다. 냉철하면서도 따뜻한 시선을 통과한 일상에 관한 이야기들은, 일상의 속살을 어떻게 대면하고 바라봐야 하는지에 관한 지혜를 담고 있습니다.

오아시스가 전혀 없는 사막은 상상하는 것만으로도 힘들고 버겁습니다. 사막이어도 오아시스가 있기에 왕래할 수 있고, 살 수 있습니다. 작은 바람이 있다면, 이 책이 바로 그 오아시스에서 만나는 길벗이었으면 합니다. 짧은 시간이지만 잠시 쉬며 대화하는 길벗이었으면 합니다. 왁자지껄 큰소리로 나누는 유쾌한 대화는 아니지만, '나'와 '우리'에 관해 소소하게 나누는 대화였으면 합니다.

　산책하듯 이 책을 천천히 읽으셨으면 합니다. 필요에 따라 속도와 분량을 조절하면서, 순서와 관계없이, 상황에 따라 같은 글도 여러 번 반복해서 읽으셨으면 합니다. 같은 장소도 여러 번 반복해 걷다 보면 다른 경험을 하게 되듯 그때 필요한 것을 만날 수 있을 겁니다. 함께 산책을 나선 길벗처럼 이런저런 이야기를 나누며 되묻기도 하고 따지기도 하셨으면 합니다. 그러다 보면, 자연스럽게 '자신'과 '삶'에 대한 생각이 정리되는 것을 경험하실 겁니다.

　코로나19 팬데믹뿐 아니라 여러 가지 까닭으로 출판계도 매우 어려운 상황임에도, '자극적이지 않은 그래서 주목받기 어려운' 책을 기꺼이 출간해 주신 김혜정 대표님께 감사의 마음을 전합니다. 이 책을 통해 독자들을 아끼는 대표님의 마음이 잘 전달되었으면 합니다. 어느 봄날, 서촌의 골목에서 기습적으로 이루어진 그 일이 없었다면, 이 책은 독자들을 만나지 못했을 겁니다. 코로나19 팬데믹으로 모두가 어려움을 겪고 있을 그때, 달라진 일상에 관한 이러저러한 이야기를 나누고 헤어지던 걸음에, 기습적으로 나타난 출판 계약서, 길모퉁이에 세워진 작은 오토바이에 의지해 출판 계약서를 작성했던, 지금 생각해도 신기한 그 일이 없었다면, 이 책은 여전히 계획 속에만 있었을 겁니다. 함께 걷고 싶은 사람들과 함께 걸을 때 우리의 일상이 달라질 수 있음을 이 책이 만들어지는 과정을 통해서도 경험했습니다. "고맙습니다!" 함께 걷고 싶은 사람이 있다는 것은, 그것만으로도 큰 행복입니다. 그리고 스타벅스에 감사의 인사를 전합니다. 글을 구상하는 공간이자 글을 쓰는 공간이 되어주어서 고맙습니다. 익숙한 공간과 익숙한 커피가 없었다면, 어쩌면 여전히 '구상 중' 아니면 '집필 중'이었을지도 모릅니다. 이제 마지막 문장을 마무리했으니 헤이즐넛을 더한 아이스 아메리카노를 마시러 가야겠습니다.

햇살 좋은 날, 함께 걷고 싶은 날에
지식유목민 김건주